1425

MAR 2006

CHICAGO PUBLIC LIBRARY

R03133 66361

Chorzy na miłość

W9-BUI-539

Oriole Park Branch
7454 W. Balmoral Ave.
Chicago, IL 60656

Manuel VICENT
Chorzy na miłość

przełożyła
Weronika Ignas-Madej

```
Pol/ FIC VICENT
Vicent, Manuel, 1936-
Chorzy na miło´s´c
```

Warszawskie Wydawnictwo Literackie
MUZA SA

Tytuł oryginału: *Cuerpos sucesivos*
Projekt okładki: *Maryna Wiśniewska*
Redakcja: *Maja Lipowska*
Redakcja techniczna: *Zbigniew Katafiasz*
Korekta: *Elżbieta Jaroszuk*

© 2003, Manuel Vincent
© De esta edición:
2003, Santillana Ediciones Generales, S. L.
© for the Polish edition by MUZA SA, Warszawa 2005
© for the Polish translation by Weronika Ignas-Madej

ISBN 83-7319-551-3

Warszawskie Wydawnictwo Literackie
MUZA SA
Warszawa 2005

R03133 66361

Oriole Park Branch
7454 W. Balmoral Ave.
Chicago, IL 60656

... zazwyczaj w ruinach znajduje się tabernakulum, skarbiec albo grobowiec, który obrabowano. W ludzkich ruinach tym tajemnym i pustym miejscem jest dusza, a ta kobieta tylko w jej przestrzeni mogła odnaleźć samą siebie...

Między pożółkłymi liśćmi jesień ukryła stalowe ostrze po to tylko, by doszło do spotkania tych dwojga. Ana i David poznali się pod koniec września w bursie akademickiej, miejscu, gdzie przetrwała atmosfera kurortu okresu międzywojennego, na Wzgórzu Wichrów albo Topolowym Wzgórzu, jak poeta Juan Ramón Jiménez nazwał to zadrzewione wzniesienie ulicy del Pinar w Madrycie. David przybył tu na początku lata, wkrótce po rozstaniu z żoną, i zamieszkał w towarzystwie młodych stypendystów, zagranicznych profesorów na urlopach naukowych i kilku artystów bawiących przejazdem w mieście. Tego wieczoru odbywał się w bursie koncert muzyki kameralnej. Kwintet fortepianowy miał wykonać dwa utwory Schuberta w tej samej sali, dziś odrestaurowanej w szlachetnym drewnie i wyposażonej w drogie meble, gdzie kiedyś koncertowali Strawiński i Debussy, a Maria Curie oraz Paul Claudel w czasach Drugiej Republiki przyjeżdżali z wykładami dla eleganckich profesorów i intelektualistów w muszkach. Obecni rezydenci wciąż chłoną ducha Wolnej Wszechnicy. Wytworni, choć odrobinę niezgrabni, ciut roztrzepani, co całkowicie pasuje do anglosaskiej z charakteru architektury. Również David Soria swoim wyglądem przywodził na myśl ten wymierający gatunek.

Wysoki, chudy, z szarymi włosami założonymi za uszy, z nieco niedbałą elegancją w ruchach, był jednym z tych, co to gdy rozmyślają o harmonii niebios, wpadają na pierwsze z brzegu krzesło, a objaśniając przy stole jakąś teorię, w uniesieniu wylewają na obrus zawartość kieliszka czy butelki, ponieważ nie panują nad rękoma. W tym tkwił urok niemłodego już profesora. Nosił okrągłe szkła w stalowych oprawkach i ubrania dobrej jakości, lekko podniszczone, raczej niemodne, niełatwo też byłoby go sobie wyobrazić bez książki czy notatnika pod pachą.

Na chwilę przed koncertem w auli bursy zjawiła się Ana Bron w czerwonym golfie, obcisłych dżinsach, adidasach i z zawieszonym na ramieniu futerałem na wiolonczelę. David siedział w pierwszym rzędzie, ona ruszyła w kierunku fortepianu środkowym przejściem, i początkowo nie przyjrzał się tej blondynce, choć jej ubiór i sposób chodzenia, miękki i sprężysty jak u pantery, kłóciły się z powszechnym wyobrażeniem o wiolonczelistce. Pozostali członkowie kwintetu wyglądali równie nieprzepisowo jak ona, więc David nie zdziwił się pocałunkiem, który Ana złożyła na ustach pianisty, ani też nie przypatrywał się specjalnie jej twarzy podczas koncertu, aż do chwili kiedy pojawiły się na niej łzy.

Rozległy się pierwsze akordy Schuberta i choć na Topolowym Wzgórzu słychać było daleki szum ulicy zakurzonego, ciemnego Madrytu, to tu ostatnie wrześniowe blaski wnikały przez ogrodowe okna i pozłacały powietrze sali wypełnionej publicznością, na którą składały się rodziny dawnych uczniów wszechnicy, niezwykle wytworne starsze panie, profesorowie o bladości bibliotek i szykowne, na półprzeźroczyste dziewczęta. *Pstrąg* to utwór Schuberta na fortepian, skrzypce, altówkę, wiolonczelę i kontrabas, w sielankowym nastroju, emanujący szczęściem, lecz niewolny od melancholii, słuchając go, łatwo sobie wyobrazić górski pejzaż z potokiem, którego szmer miesza się z najpiękniejszymi marzeniami. Kwintet grał doskonale. Wiolonczela Any Bron znaczyła rytm melodii, a palce pianisty biegły, wypełniając przestrzeń emocjami budzącymi najsubtelniejsze zmysły. David oddał się własnej tęsknocie. Jesienny zmierzch sprzyjał rozpamiętywaniu utraconego czasu, a liryczna muzyka sprawiła, że raz jeszcze poczuł w żołądku ukłucie niepokoju. Po raz kolejny zastanawiał się, czemu to od jakiegoś czasu doskonałość młodego ciała, łagodny pejzaż, wspomnienie starej piosenki, cisza pustej plaży, każdy rodzaj harmonii wywołuje w nim głęboką gorycz, coś na kształt pożegnania z przyjemnościami, które – każda po trosze – uformowały jego ducha. Człowiekiem skończonym jest ten, który na piękno reaguje smutkiem. Taki duchowy niepokój odczuwał właśnie David, słuchając kompozycji Schuberta; zazwyczaj próbował schronić się we wspomnieniach młodzieńczych przyjemności, teraz jednak, aby się pocieszyć, przywołał obraz drzew figowych i krzewów granatu, które rosły w najwyższych rozpadlinach ruin. Widział je między kamiennymi blokami w Efezie, Pergamonie, Epidaurosie, na murach obronnych Rodos czy innych zniszczonych twierdz. W długich okresach pokoju owe opuszczone fortece odwiedzały ptaki, niosąc w pazurach nasiona drzew i upuszczając je między baszty, na szczyty świątyń bogów odeszłych w niebyt i na urwiska z orlimi gniazdami. David zapragnął, by w zniszczeniu i samotności, których sam doświadczał, pojawił się niebieski ptak i w najbardziej niedostępnych szczelinach jego duszy zostawił nasiona kwiatów, a wówczas szczęście znów by do niego wróciło, choć niewolne od melancholii.

Koncert składał się z dwóch części. Po *Pstrągu* wykonano *Śmierć i dziewczynę*, niewielki utwór na dwoje

9

skrzypiec, altówkę i wiolonczelę. Pianista opuścił salę; młody kontrabasista usiadł wśród publiczności, a jego miejsce zajął drugi skrzypek. *Śmierć i dziewczyna* Schuberta to kompozycja podniosła w nastroju, a podczas scherza zdarzyło się coś, przez co większość słuchaczy zwróciła uwagę na jasnowłosą wiolonczelistkę. Poruszony muzyką David omal się nie rozpłakał, ale właśnie wtedy spostrzegł, że Ana Bron płakała zupełnie otwarcie, a ponieważ dłonie miała zajęte instrumentem, w żaden sposób nie mogła otrzeć oczu pełnych łez. Światło słoneczne wydobywało przejrzystość kropli, spływających jedna za drugą po policzku, tuż obok kącika mocno umalowanych ust, i choć Ana delikatnie próbowała je wessać, to jej się nie udało.

David poczuł się dziwnie. Zobaczył, jak jedna z łez zabarwiła się na czerwono od szminki i zamieniając się w kropelkę krwi na ustach Any, spłynęła dalej aż do krawędzi brody, gdzie zatrzymała się na maleńkiej bliźnie, póki ciężar bólu, który również podlegał prawu grawitacji, nie sprawił, że spadła na wiolonczelę i powoli płynęła po ciele instrumentu niczym nuta oderwana od smyczka, aż dotarła do podłogi i tu stała się złotą kropką na białej płytce. Tak jak większość publiczności pomyślał, że wiolonczelistka wzruszyła się muzyką, ale w chwilę potem wiedział już, że te łzy miały związek z sinymi plamami na szyi, których Anie nie udało się całkiem zakryć golfem swetra.

W czasie koktajlu po koncercie Ana Bron tęsknie wypatrywała pianisty nad głowami zebranych i jednocześnie przyjmowała gratulacje od zgromadzonych gości, przechodząc między grupkami. David podszedł do niej, zaproponował jej swoją lampkę szampana, z której nie zdążył się napić, i z uniesieniem opisywał przyjemność, jakiej doświadczył pod wpływem jej gry.

– Dziękuję ci za łzy – powiedział.

– To miło z pana strony – odparła Ana zmieszana pochlebstwami nieznanego starszego mężczyzny.

– Odebrałaś Schubertowi palmę pierwszeństwa. To ty byłaś tą dziewczyną, która umiera – ciągnął David z uporem, pod którym kryła się nieśmiałość.

– Naprawdę tak pan uważa?

– Mam nadzieję, że ta muzyka dostarczyła i tobie miłych doznań.

– Jest pan psychologiem albo kimś w tym rodzaju?

– Nie.

– Gdyby był pan psychologiem, wiedziałby pan, że zmysłowe szczęście może stać się przyczyną smutku. Rozumie pan?

– Kobieca dusza nie jest moją mocną stroną. Zechciej mi wybaczyć – powiedział David.

– W porządku. Wybaczam panu.

– Zostaniesz z nami na kolacji? Wydaje mi się, że muzycy zostali zaproszeni.

– Szukam Bogdana.

– Bogdana? Kto to jest Bogdan?

– Pianista.

– Widzę, że znikł. Zostawił cię?

– Chyba tak.

– To już nie masz wymówki. Zostajesz.

W niczym nie przypominała wątłej dziewczyny w białej jedwabnej bluzce, plisowanej spódnicy i pantoflach na płaskim obcasie, odbiegając daleko od stereotypu wiolonczelistki, a tym, co David dostrzegł na początku, była emanująca z niej siła. Miała mocne nogi, szerokie ramiona, wciąż ściśnięte piersi, duże usta, dołeczki w policzkach, kiedy się uśmiechała, i masywne biodra, odziedziczone po babce Niemce, a nikt, kto zwabiony jej urodą znalazł się w pobliżu, nie potrafił się oprzeć pełnemu bezbronności spojrzeniu, którym wyrażała wewnętrzne wypalenie i jednocześnie potrzebę całkowitego oddania bez względu na skutki. Ana przyjęła kieliszek szampana i kiedy piła go niewielkimi łykami, David przyjrzał się śladom na jej szyi. Chyba ktoś chciał ją udusić, pomyślał.

Postarał się, żeby na kolacji po koncercie wiolonczelistka usiadła obok niego. W latach dwudziestych profesorowie w muszkach, w tej samej sali jadalnej bursy, nad fasolką z ziemniakami i dorszem poruszali modne wówczas tematy, rozmawiali o białym wierszu, sprężonym betonie, o Bergsonie, Pirandellu, O'Neillu, Jamesie Joysie, teorii kwantów, fenomenologii, społeczeństwie narodowym i o nowej snobistycznej modzie grywania komunisty w białym swetrze z dekoltem w szpic, tak jak się grywało w krykieta. Teraz, między zupą na pierwsze i łupaczem na drugie, rozmowa przy stole dotyczyła ruin, zarówno archeologicznych jak i ludzkich.

– Żadne ruiny nie są ciekawe, o ile nie kryją w sobie tajemnicy – orzekł jeden z profesorów.

– Tajemnica nie jest ważna – odparł młody stypendysta, student egiptologii. – Doskonałe ruiny to takie, które zachowują swój kształt, pozbawione części kamieni. Szukasz duszy, która nada im sens, grobowca, tabernakulum, skarbca. W trakcie wykopalisk docierasz do najbardziej strzeżonej przestrzeni, i kiedy ją otwierasz, w środku nie ma nic. Grobowiec jest pusty. Skarb zrabowano, a bóstwo, które tu czczono, zastąpiło w tabernakulum zastygłe przez stulecia powietrze. Ale właśnie owa pustka wytrwale utrzymuje kształt tej świątyni, pałacu czy panteonu, mam nadzieję, że państwo mnie zrozumieli.

– Doskonale. Wiesz dobrze, że w żadnej z piramid egipskich nigdy nie znaleziono mumii żadnego z faraonów czy nawet prochów nieznanych zmarłych. Co było w środku? Nic. Z ludźmi jest tak samo. Spójrzcie na mnie i powiedzcie, czy się nie zgadzacie – zawołał żartem David.

– Coś ci się stało? – zapytała Ana, po raz pierwszy zwracając się do niego na ty.

– Nic – odparł David zdecydowanie.

– Nic?

– Absolutnie nic – potwierdził z uśmiechem, który miał być cyniczny. – W pewnym wieku patrząc w lustro, odkrywasz swoje drugie ciało. Nie to, które odczuwasz swoją świadomością, ale to, które widzą inni, to, które odbija się w lustrze nierozpoznawalne przez ciebie, choć jesteś jego właścicielem. To jest ciało, które dostrzega samolubna miłość Narcyza i którego chce dotknąć kochanka. Pewnego dnia odkryjesz tylko ruiny, niekryjące żadnej tajemnicy. To straszne, bo ktoś może szukać twojej duszy pod gruzami i jej tam nie znajdzie.

– Wydaje ci się, że można kogoś uwieść z pomocą tej pesymistycznej teorii? – zapytała Ana.

– Tylko kogoś, kto czułby się bardziej zrujnowany niż ja – odrzekł, nieopatrznie przewracając kieliszek gwałtownym ruchem ręki. – Widzicie? Znów rozlałem wino. Straszna ze mnie oferma. Poplamiłem cię?

– Troszkę. Nie szkodzi – odparła Ana.

– Szukanie współczucia u innych to jakaś forma narcyzmu – rzucił jeden ze stypendystów.

– Może i tak. W pewnym wieku ruiny, te w dobrym stanie, które cieszą, stają się równe rozkoszy bogów. Znacie tę wschodnią opowieść o żebraku, który przybył do Damaszku i został postawiony przed sądem? – zapytał David, skupiając uwagę całego stołu.

– Co się przydarzyło temu żebrakowi? – z ciekawością spytała wiolonczelistka.

Tajemniczy żebrak przybył do Damaszku i został postawiony przed sądem.
– Kim jesteś? – zapytał go sędzia.
– Jestem ważniejszy niż szejk – odparł żebrak.
– To niemożliwe. Od szejka ważniejszy jest emir – stwierdził sędzia.
– Jestem ważniejszy niż emir – rzekł żebrak.
– Ważniejszy od emira jest kalif – oznajmił sędzia.
– Jestem ważniejszy od kalifa – nie ustępował żebrak.
– Ważniejszy od kalifa jest tylko Bóg – rzekł sędzia.
– Jestem ważniejszy od Boga! – zawołał żebrak.
– Cóż jest ważniejsze od Boga? Nic! – krzyknął zagniewany sędzia. A wtedy żebrak podniósł się z ławy oskarżonych, pochylił głowę i cichym głosem powiedział:
– Nic? Jestem Niczym, panie.

Po kolacji David odprowadził Anę aż do stóp wzgórza przez otaczający bursę ogród rozjaśniony nocnymi światłami Madrytu. Szli powoli, przystając, jakby w milczeniu szukali pretekstu, żeby się jeszcze nie rozstać. Ana niosła na plecach wiolonczelę. Przechodząc wzdłuż żywopłotu, odezwała się nagle:
– Słyszałam już kiedyś historię, którą opowiedziałeś. Piękna. Ale to bluźnierstwo kosztowało żebraka głowę, prawda? Chyba też czytałam, że sufi powiedział: „Ja jestem Prawdą". A potem został ukamienowany. Jeśli czujesz, że nie jesteś niczym, nie czekaj na werdykt.
– Ty byś mnie uniewinniła? – zapytał ze śmiechem David.

Ana nic mu nie odpowiedziała. Wtedy David objął ją delikatnie i zaprowadził między dwa skrzydła budynku, do tej części ogrodu, gdzie rosną posadzone przez Juana Ramona Jimeneza cztery oleandry, i zatrzymał się przed jednym z okien na parterze. Powiedział Anie, że to jest jego pokój, ten sam, w którym mieszkali razem Dalí i García Lorca, a potem Dalí z Buñuelem.

– Co za zaszczyt. Chciałabym to kiedyś zobaczyć – oznajmiła Ana.

– Kiedy Dalí i Lorca mieszkali w tym pokoju, który wtedy był dwuosobowy, większy, często się kłócili i nie odzywali do siebie całymi dniami, a nawet sypali piasek na podłogę i wytyczali osobne dróżki od drzwi do łóżka i od łóżka do umywalni. Na granicy ustawiali doniczki z pelargoniami, by nie dotknąć się przy przechodzeniu. Dla nich życie oznaczało zabawę. Pewnego razu Alfons XIII odwiedził bursę. „Król nadchodzi!" – zawołał portier. I Buñuel, który właśnie golił się w swoim pokoju, wyskoczył do ogrodu goły, z namydloną twarzą i założył tylko kapelusz, żeby zasalutować.

– Zdaje się, że bawili się doskonale, jakby tylko po to przyszli na świat – zauważyła Ana.

– W bursie gościli czasami Unamuno, Antonio Machado i Alberti, miały tu też swój początek wielkie romanse. Właśnie w tym ogrodzie poeta Pedro Salinas poznał amerykańską studentkę Katherine Whitmore, jego późniejszą sekretną kochankę, do której przez piętnaście lat pisywał pełne namiętności listy.

– W tym miejscu wiele jest zjaw z przeszłości, ciekawe, czy ostały się tu jakieś dusze?

– Pewnie tak.

– Wiesz co? Dotąd nie spytałam, kim jesteś i co tu właściwie robisz. Wiem tylko tyle, że masz na imię David, bo ktoś tak się do ciebie zwrócił przy kolacji.

– Nic więcej?

– Wiem również, że jesteś próżny chełpliwością przegranych – powiedziała Ana.

– Zatem wiesz o mnie praktycznie wszystko. Jestem sam i właśnie schroniłem się tu po ostatniej przegranej bitwie. Biorę udział w projekcie badawczym dotyczącym córki Garcii Lorki.

– García Lorca miał córkę? Jak to możliwe? Zwariowałeś?

– Nie rozumiem. Dlaczego nie?

– Nie wiem. To ostatnia rzecz, jaką mogę sobie wyobrazić.

– A ty? Co masz w sobie prócz łez? – zapytał David w ciemnym ogrodzie.

– No cóż, jestem wiolonczelistką – odparła Ana. – Po dziesięciu latach konserwatorium zarabiałam na życie, grając co niedziela w parku Retiro standardy jazzowe, akompaniowałam argentyńskiemu bandoneoniście na Plaza Mayor, wieczorami chałturzyłam w modnej restauracji, dawałam prywatne lekcje, grałam w orkiestrze symfonicznej i dwa lata temu poznałam Bogdana w opuszczonym domu w Lavapiés, gdzie pewnego dnia na rusztowaniu fasady udało mi się wykonać jedną z sześciu suit Bacha na wiolonczelę w ramach protestu przeciw policji, która miała nas eksmitować. Z okien oklaskiwało mnie ze stu ciekawskich, a na ulicy trwało przegrupowanie policjantów, możesz sobie wyobrazić. Teraz z Bogdanem Vasile stworzyliśmy kwintet z Bukaresztu i gramy tam, gdzie nas zapraszają. Zawsze chodzę z tym instrumentem. I kończę właśnie dość ponury romans.

– Dlatego płakałaś?

– Być może.

– Chciałabyś mi o tym kiedyś opowiedzieć? Wiolonczela ma barwę dość podobną do ludzkiego głosu. Pełną ciepła – stwierdził David.

– Ten bardzo ludzki głos wychodzi spod smyczka z włosia z końskiego ogona. Nigdy z ogona klaczy, bo klacz po nim sika i mocz sprawia, że włosy są bardzo nietrwałe. Jest to instrument, na którym gra się z rozłożonymi nogami – odparła ze śmiechem Ana.

Blask nocnych świateł miasta sprawiał, że twarz Any jaśniała w ciemnym ogrodzie, jednak jej mina towarzysząca ostanim słowom umknęła uwadze Davida i zapanowała między nimi cisza ich własnych kroków, aż do chwili gdy znaleźli się u stóp wzgórza. David zaproponował, że podwiezie ją do domu. Jadąc od Castellany, aż do placyku w madryckiej dzielnicy de los Austrias rozmawiali o błahostkach, wymienili numery telefonów i postanowili umówić się kiedyś na kawę, David zauważył jednak, że im bliżej końca jazdy, tym posępniejsze staje się oblicze Any, zapytał więc:

– Ktoś czeka na ciebie w domu?

– Nikt.

– Mam wrażenie, że się kogoś boisz. Jeśli chcesz, chętnie ci pomogę. Nie jestem bohaterem, ale próżność może mnie daleko zawieść.

– Nieważne. Czyli García Lorca miał córkę? – zapytała Ana, zmieniając temat rozmowy.

– Czeka na ciebie pianista?

– Jeśli istnieje córka Garcii Lorki, to musi gdzieś mieszkać. Wiesz gdzie? Spotkałeś się z nią? – nie ustępowała Ana.

– Ten pianista jest zupełnie niezwykły. Jak można grać z taką delikatnością i jednocześnie być tak twardym? – dziwił się David.

W tej właśnie chwili samochód wjechał na placyk i kiedy David zatrzymał go przed bramą Any, oboje zamilkli. Ona zagubionym wzrokiem spoglądała w noc za oknem. On zapalił papierosa. Po chwili, kiedy milczenie stawało się kłopotliwe, Ana zwróciła się do Davida:

17

– Co czujesz?

To pytanie, z pozoru bez znaczenia, David przyjął z całym ciężarem zawartej w nim bezbronnej czułości. Zapytał:

– A ty, kim jesteś?

– Nie wiem.

– Kim jesteś? – powtórzył z naciskiem David.

– Mogę być dla ciebie szczęściem jasnowłosej kobiety.

– Brzmi nieźle.

– To Pessoa napisał taki wiersz.

– Aaa.

– Spójrz, ciągle mam plamę po winie. Jutro, kiedy ją wyczyszczę, będę musiała pomyśleć o tobie – stwierdziła Ana, wskazując czarny punkt na spodniach na wysokości kolana.

Patrzyli sobie w oczy i Ana, nic już nie mówiąc, wyszła z samochodu. Potem, w otwartej bramie, z wiolonczelą na ramieniu, pożegnała go, kreśląc kółko przy uchu, przypominając mu, że będzie czekać na jego telefon.

Zadzwonił do niej, gdy tylko dotarł do bursy. Była druga nad ranem. Zanim wybrał numer, wziął głęboki oddech, chcąc opanować nieśmiałość, a potem postanowił skoczyć w przepaść mimo niepokoju, jaki dopadał go zawsze, kiedy rozpoczynał kolejny romans. Ana leżała w łóżku i podniosła słuchawkę, zanim telefon zadzwonił po raz drugi. David mówił nieco drżącym z pożądania szeptem. Zaczął:

– Jeślibym opuszką palca dotknął twojego czoła, nosa i doszedł aż do ust...

– Proszę?

– ... a potem bardzo delikatnie nacisnął twoje wargi, i poprosił, żebyś je dla mnie rozchyliła... zrobiłabyś to?

– Tak – odparła Ana po chwili milczącego wahania.

– I gdybym po zwilżeniu opuszki w twoich ustach podążył dalej...

– Tak.

– ... po twoim policzku, zszedłbym na szyję i pieścił ślady, które zostawił ktoś, kto chyba chciał cię udusić... pozwoliłabyś?

– Tak.

– Naprawdę chciał cię udusić? – zapytał przejęty David.

– Nie mów o tym teraz – zbyła go Ana.

– Rozluźnij się. Pieszczę ślady na twojej szyi...

– Nie rób tego.

– Już dobrze... A jeżeliby od tych śladów moja ręka prześlizgnęła się po wzgórku twoich piersi i dotknęła nagiego ramienia, które spoczywa na łóżku, i pieściła twoją dłoń, aż moje palce splotłyby się z twoimi... pozwoliłabyś?

– Tak. Oczywiście.

– A gdyby moja ręka uwolniła się od twojej i cała drżąca podążyła w stronę twojego brzucha...

Następnej nocy David, przez telefon, zdobywał nowe terytoria na ciele Any Bron, starając się używać przy tym całej swej wiedzy, by uczynić ów podbój powolnym i delikatnym, jakby uczył się nowej partytury, i za drugim podejściem zadowolił się wspięciem na szczyt jej piersi i pieszczeniem opuszkami palców guziczków twardniejących sutków. I również nie napotkał ze strony Any na żaden opór przy zdobywaniu tych celów. Oboje zaczęli odczuwać podniecenie.

– Dobrze ci? – mrocznym głosem zapytał David.

– Dobrze.

– Dobrze aż do samego środka?

– Tak – odparła.

– Teraz przesunę dłoń po twoim brzuchu. Delikatnie. Bardzo delikatnie. Nikt nie zrobi tego z większą czułością.

– Tak.

– Podoba ci się?

Kobietę otwiera się słowami. To tak jakby w uszach krył się szyfr do jej sejfu. Zaczynasz szeptać jej pełne czułości i pożądania słowa, a ona powoli ci się oddaje. David miał w tym pewne doświadczenie i choć odczuwał śmieszność, uciekając się do tej gry w jego wieku, wciąż, późną nocą, dzwonił do Any. Począwszy od trzeciego dnia ekscytujących przeżyć, zaczęli rozpoznawać się nawzajem we wszystkich załamaniach głosu, cichych jękach, a nawet chwilach milczenia, jakie czasem ich łączyło. David był świadom, jak niewieloma środkami, przydatnymi w uwiedzeniu tej atrakcyjnej, młodszej o dwadzieścia lat, kobiety, dysponuje, jeden ze sposobów polegał na rozpalaniu jej wyobraźni z powściągliwą elegancją i za pomocą ściśle określonych słów. Którejś nocy profesor opowiadał Anie swój sen.

– Byłem człowiekiem pierwotnym i żyłem w środku dżungli, nie znałem nawet ognia. Słyszałem, że czarownicy z jakiegoś zaginionego plemienia otrzymywali go, pocierając bardzo szybko dwa patyki, a ty leżałaś u mojego boku i mówiłaś, że gdzieś istnieje bardzo rozwinięta cywilizacja, z pięknymi miastami, gdzie ogień otrzymuje się przez wypowiadanie czułych słów. Zawsze tak do mnie mów, prosiłaś. I zacząłem ci czule szeptać do ucha. Nagle siła mojego oddechu sprawiła, że zaczął tlić się pierwszy płomyk, który szybko ogarnął całe twoje nagie ciało.

– Cała zaczęłam płonąć? – zainteresowała się Ana.

– Długo paliłaś się swoim własnym ogniem, ale potem twoje ciało zgasło i zmieniło się w ciemność prześwietloną żarem, a ten stał się miastem nocą, z migającymi światłami. Błąkałem się jego ulicami, aż dotarłem do placyku, na którym stał piedestał z hebanową figurą.

– Figurą? Kobiety? Jak wyglądała?

– Nie wiem. Na piedestale wyryto złotymi literami nieczytelny napis.

David wziął za wspólników noc i siłę, z jaką mroczny głos i nieobecność ciała oddziałuje na wyobraźnię, i zaczął opowiadać dziewczynie historie wędrówek lądem i morzem, a w ślad za nimi szły miłosne skargi, odrobinę nie modne, za to pasujące do mężczyzny ze złamanym sercem. Co mu pozostało prócz zmyślenia i samotności, które razem tak bardzo podniecają kobietę gotową do lotu? Mogliby we dwójkę uciec do Aleksandrii.

– Choć cię nie znałem, to wymarzyłem sobie ciebie w każdej dolinie, znajdywałem cię w każdej ciemnej grocie, czekałem na ciebie w każdym atrium i wreszcie widzę, jak przychodzisz do mnie naga. Muszę się z tobą spotkać – oznajmił David.

– Kiedy? – zapytała Ana.

– Jeśli nie chcesz uciec ze mną do Aleksandrii, możemy napić się herbaty, słuchając poezji Salinasa i Cernudy. W sobotę w bursie jest wieczór poetycki. To też jakaś forma ucieczki.

– Najpierw sama muszę odbyć pewną podróż – tajemniczo odparła Ana.

– Dokąd?

– Bardzo daleko. Zadzwonię do ciebie zaraz po powrocie.

... Lilit, pierwsza żona Adama, jeszcze przed stworzeniem Ewy, zanim miłość zamieniła ją w anioła, była królową demonów i wszelkich złowieszczych duchów żywiących się krwią, która jest duszą dla ciała...

Nie ruszyła się z miasta, nie wyszła nawet z domu, ale odbyła podróż, jeszcze jedną, aż do bram piekła. Kochanek Any, Bogdan Vasile, przez te wszystkie dni pragnął się z nią spotkać, a ona nie potrafiła oprzeć się pokusie i postanowiła go u siebie przyjąć, dziś po południu, całkowicie świadoma, że powtórzy się odwieczny rytuał, a siła jej pragnienia była przerażająca. Nałożyła na twarz rozświetlający puder, pomalowała usta karminową szminką i czekając, próbowała grać jedną ze suit na wiolonczelę J.S. Bacha, ale nie mogła się skupić, bo rozmyślała o władzy, jaką wciąż posiadał nad nią ten mężczyzna, z którym doświadczała szalonych namiętności, stając na skraju przepaści.

Gwałtowny dzwonek przerwał delikatną muzykę wiolonczeli, docierającą z pokoju w głębi. Ana pobiegła do przedpokoju z drżącym sercem, otwarła drzwi i zobaczyła władczą postać swojego rozczochranego i uśmiechniętego kochanka, pianisty Bogdana Vasile, czterdziestopięcioletniego Rumuna z potężnym karkiem i ciemnymi, przepastnymi oczyma, posturą przypominającego bardziej trenera niż artystę. Dziewczyna przytuliła się do jego piersi, a Bogdan przyjął jej ciało, nie wyciągając dłoni z kieszeni skórzanej kurtki, za to ustami przedzierając się przez jasne włosy dosięgnął szyi i wgryzł się w nią tak mocno, jak tylko on potrafił, zatrzymując się na granicy bólu. Tego potrzebowała, by ugięły się pod nią nogi i zupełnie bezbronna, gotowa była złożyć się w ofierze. Objął ją i zaprowadził do sypialni. Szła pokonana, w milczeniu, z głową opartą o jego ramię, w połowie drogi zaczęli się całować, gwałtownie zdzierali ubranie, szukając swych ciał, i kiedy byli prawie nadzy, Anie udało się uwolnić z objęć Rumuna i złapać oddech. Ciężko oddychając po pierwszym ataku, zaproponowała:

– Zrobię ci drinka.

– Dobrze. Najpierw trochę wódki, a potem będę pił ciebie – odparł Bogdan, zapinając spodnie.

Kiedy Ana weszła do sypialni z tacą, przeszedł ją dreszcz na widok noża na nocnym stoliku. Znów krew, pomyślała. Wiedziała, że raz jeszcze ulegnie, więc kiedy naga leżała na łóżku po krótkiej chwili dość brutalnych pieszczot, zdobyła się jedynie na słowa, jakich oczekiwał Bogdan:

– Zrób ze mną, co zechcesz – wyszeptała słabym głosem, z zamkniętymi oczyma, czekając, aż jej ciało przyjmie ducha wilka.

To wtedy pojawił się ten trzeci. Po trzech godzinach miłości Bogdan Vasile i Ana Bron leżeli w łóżku spoceni, umazani krwią obojga, martwi z rozkoszy, paląc wspólnie papierosa, w milczeniu przerywanym skargami i prośbami o wzajemne wybaczenie.

– Skończmy z tym. Nie wiem, czy zdołam jeszcze wiele wytrzymać – stwierdziła Ana.

– Zrobisz to dla mnie, zawsze, kiedy cię o to poproszę – wyszeptał Bogdan.

– Tak – odparła.

– To lubię.

– Kiedyś mnie zabijesz. Wiesz?

– Jasne. Wiem – odpowiedział Bogdan, wydmuchując dym prosto w jej twarz.

– Nie mogę już pójść za tobą.

– Mówisz tak przez tego skurwysyna? Kto to? – znienacka zapytał z cynicznym uśmiechem.

– O co ci chodzi?

– Masz kogoś. Kochanka.

– Nie.

– To kim jest ten Martín, którego wołałaś?

– Kiedy? Kogo wołałam? – zdziwiła się Ana.

– Kiedy piłem krew z twojej szyi, a ty miałaś orgazm, w kółko powtarzałaś nie moje imię. Krzyczałaś Martín!! Martín!! Prosiłaś, żeby przyszedł, przyjdź, przyjdź, Martín, kochanie..., tak mówiłaś. Wołałaś tego skurwysyna. Kim on jest?

– Naprawdę? Dziwne. Nawet gdybym była nieprzytomna z rozkoszy, niemożliwe, żebym wołała kogoś, kogo nie znam. Nie znam nikogo o imieniu Martín. Nie wiem, kim jest ten facet. Może zaczynam wariować.

– Lepiej by było, żeby ten Martín nie istniał. Dużo lepiej dla niego – stwierdził Bogdan.

Doszli do końca drogi. Dalej niż rozkosz, którą osiągnęli, istniała tylko śmierć, co w tym przypadku byłoby łatwym rozwiązaniem. Umrzeć w miłosnym uścisku jest częstym pragnieniem kochanków, Ana jednak źle znosiła tę namiętność i to nie dlatego, że przekraczając kolejne granice przemocy, pogrążała się w duchowej nicości, bo to akurat podniecało ją, a nawet uzależniało niczym mocny narkotyk. Ana nie mogła znieść, że swoje bezgraniczne oddanie przeżywa w ukryciu, upokarzały ją głuche telefony, spotkania nie w porę i ciągłe kłamstwa, nie do uniknięcia w romansie z kimś prowadzącym podwójne życie. Albowiem

27

istniała jeszcze Katia, żona pianisty, również Rumunka, bezbronna dziewczyna, dla której Bogdan był jedynym oparciem na tym świecie. Miłość Any, by dotrzeć do Bogdana, musiała pokonać nieustanną agonię Katii, i ten wysiłek stał się przyczyną wewnętrznego rozdarcia i ostatecznego załamania. Dopalając papierosa, Bogdan oznajmił:

– Tamtej nocy, po koncercie w bursie, kiedy wróciłem do domu, Katii nie było. Zniknęła. Kiedy się kładłem, poczułem coś bardzo twardego pod poduszką.

– Co to było?

– Katia położyła psi pazur odcięty nożem.

– Przerażające – zawołała przestraszona Ana. – Co to oznacza w waszym kraju?

– Nic się nie martw. Jestem gotów zrobić wszystko, żeby cię nie stracić, jeśli tylko mi pomożesz – odparł Bogdan.

Z umęczoną twarzą i świeżą raną na szyi zaklejoną plastrem Ana przyszła do bursy na spotkanie z Davidem Sorią, posłuchać poezji i wypić popołudniową herbatę. Obok fortepianu Pleyela, na którym kiedyś grywał García Lorca, stała dziewczyna o jasnej twarzy i czytała wiersz Pedra Salinasa:

> Kiedy mówisz: „Kochają mnie
> tygrysy i cienie",
> to znaczy, że w gęstwinie
> albo nocą wyprowadzałaś na spacer
> twoje wielkie pragnienie miłości.
> Nie po to jesteś, by być ukochaną,
> bo to ty zawsze zwyciężysz,
> kochając tego, co cię kocha.
> Kochanka, nie ukochana[*].

---

[*] Pedro Salinas, *Cuando dices*, przeł. Maria Filipowicz-Rudek.

Głos wierny Salinasowi mieszał się z brzękiem łyżeczek unoszącym się znad stolików; na jednym z nich, przykrytym obrusem, David obejmował dłoń Any, gładząc opuszką palca błękitne żyłki biegnące wierzchem dłoni i ramieniem, ginące pod czerwonym swetrem w drodze do serca. Ten ledwie odczuwalny dotyk elektryzował całe jej ciało, przypominając pierwsze, doświadczone w dzieciństwie, uczucie pożądania, w tej pieszczocie zlały się w jedno wszystkie miłości, których doświadczyła w swoim życiu. Głos poetki przemawiał wierszem Cernudy:

Chociaż nie mogą wargi
Dwa razy pić z tej samej rzeki,
I kiedy ku głębi się zwrócisz
Innym obrazem ci odpowiada,
Ulotnym dla umysłu,
Dając i ukrywając
Niezmienną oznakę
Wierną towarzyszkę w kolejnych ciałach
Że miłość jest wiecznością a nie kochaniem
Że miłość to to, co wieczne, a nie to, co kochane[*].

W pamięci Any Bron zderzały się fale kolejnych ciał, przez które przepłynęła miłość od czasów, gdy była dzieckiem; jako pierwsze przypłynęło ciało młodego chłopca, Javiego, z którym pewnego letniego popołudnia, w miasteczku zagubionym wśród gór, wdrapali się pod dach spichlerza dziadków, żeby zobaczyć gniazdo uwite przez parę gołębi. Tam przelała pierwszą krew. Miała dziesięć lat. Zardzewiały drut, wystający z zepsutego szczebla drabiny, paskudnie wbił się jej w kolano. Leżała na sianie i słyszała

---

[*] Luis Cernuda, *Vereda del cuco*, przeł. Maria Filipowicz-Rudek.

gruchanie gołębi, i wtedy ten chłopiec rozpoczął zabawę, liżąc raz po raz jej ranę. Żebyś nie dostała tężca, mówił. Tężca? Co to jest tężec? Nawet teraz pamiętała to osobliwe zmieszanie, jakiego doświadczyła, widząc jego usta umazane krwią, i ku swemu zaskoczeniu znów poczuła, że się podnieca na samo wspomnienie chłopca klęczącego między jej nogami.

– Stąd widać morze – oznajmiła Ana.

– Niemożliwe. Morze jest bardzo daleko – zdziwił się Javi.

– Ale ja widzę morze – upierała się Ana.

– Nie widzisz – powtórzył chłopiec, nie przestając lizać jej kolana.

– Z tego spichlerza widzę statki, mewy, marynarzy i małą wysepkę z białym piaskiem na tajemniczej plaży.

– Jak możesz widzieć morze, skoro jest daleko za górami?

– Nieważne. Ja widzę.

– Chcesz zobaczyć coś ładniejszego od morza? – znienacka zapytał chłopiec.

– Co?

– Przyrzeknij, że nikomu o tym nie powiesz. Podnieś trochę spódnicę.

Javi masturbował się między rozłożonymi nogami znieruchomiałej Any, przyglądającej się ciekawie poczynaniom chłopca, który z coraz bardziej zamglonym wzrokiem cicho pojękiwał. Gruchały gołębie. Piski jerzyków przeszywały wrześniowe niebo, pachniało ciepłym sosnowym igliwiem, zżętym zbożem i dymem z palonych ściernisk. Nagle dziewczynka zobaczyła, jak z chłopięcego członka spada na jej ranę lepka grudka przypominająca morską pianę albo kwiat rozmarynu. Pojawiła się nagle i choć Ana nie dostrzegła jej na dalekim morzu, to od tamtego czasu jej ranka i morska piana albo biały kwiat we krwi zlały się w jedno błękitne wspomnienie, w chwilach namiętności płynące falami wyobraźni po polach rozmarynu na innych ciałach.

– Zmieszaj to z krwią, żebyś nie dostała tężca – powtórzył chłopiec.

– Co to jest tężec?

– Jeśli nie zdezynfekujesz rany, możesz zesztywnieć na zawsze, umrzeć z otwartymi oczami, sparaliżowana, będziesz słyszeć wszystko dookoła, ale nic nie będziesz mogła zrobić.

Opuszką palca Ana wymieszała krew i spermę, podniosła mokry palec do nosa, z zamkniętymi oczyma wciągnęła mocno powietrze, a potem polizała koniuszkiem języka. Pomyślała, że smakuje jak alga, słonawo, ten zapach i smak miał odtąd budować jej duszę przez wszystkie kolejne miłości.

Bawiła się z tamtym chłopcem aż do wiosny i trzymała to w tajemnicy, pod niejasną groźbą tego, co może się wydarzyć, jeśli jej nie dochowa. Kiedy z końcem tygodnia dziewczynka przyjeżdżała z dziadkami do miasteczka, wdrapywała się z Javim do spichlerza i tam, słysząc odgłosy z ulicy, krzyki innych dzieci, śpiewy ptaków i hałas wydawany przez sprzęty i maszyny codziennego użytku, czuli, że są daleko, bezpieczni, w jakiejś fantastycznej podróży. Kiedy tak bawili się w odkrywanie przyjemności na swoim ciele, docierając do najbardziej intymnych fałdek pod spodniami czy aksamitną spódniczką i rajstopkami, wieczory najpierw nabrały zapachu dojrzałych jabłek, potem nadeszła wilgoć zimowych deszczy, przeciekających przez dziury w dachu i skostniałe z zimna ptaki, aż wreszcie posłyszeli trzask różanych krzewów pnących się po pobielonym murze. Ana poczuła, że ta podniecająca zabawa dzieli jej maleńką duszę. Istotnie, posiadła zdolność przywoływania błękitnego wspomnienia zielonych alg o smaku nasienia, ale to

31

wzburzone morze albo pola rozmarynu, które widziała wewnątrz siebie, pełnej westchnień, sprawiały, że nie potrafiła już nigdy uwolnić się od lęku, że zesztywnieje na zawsze, że umrze z otwartymi oczyma, pogrążona we śnie przepełnionym strachem po przeżytej rozkoszy.

Kiedy Ana usłyszała, że w wierszu Cernudy miłość jest wiecznością, a nie kochaniem, spojrzała Davidowi znacząco w oczy i ścisnęła jego dłoń, uśmiechając się jak do wspólnika. Zapadał właśnie październikowy wieczór w bursie. Po wieczorku poetyckim David chciał pokazać Anie swój pokój znajdujący się na parterze w pierwszym z budynków, ten sam, którego okna pokazał jej z ogrodu w noc, kiedy się poznali. Korytarz był szeroki i czysty, niczym w starym sanatorium. Przebiegli go w milczeniu, słysząc własne kroki i nie zastanawiając się, że oto wkraczają na drogę, która zawiedzie ich bardzo daleko. Kiedy weszli do pokoju, Ana poczuła zapach lawendy, doskonale pasujący do tej ogołoconej, prawie klasztornej przestrzeni, wyposażonej w metalowe łóżko, półki, szafę i umywalkę, wszystko niezwykle ascetyczne, choć na stole panował bałagan: książki, papiery, teczki, zdjęcia i listy z Hawany i Nowego Jorku. Stała tam również ramka z fotografią uśmiechniętej kilkuletniej dziewczynki.

Pokoje przesiąkają zapachem duszy tego, kto w nich zamieszkał, i tak właśnie było w przypadku pokoju profesora, gdzie dostrzegła tylko jedną walizkę przygotowaną do odlotu. Ana uświadomiła sobie, że ta surowość pasuje do stylu bycia Davida. Z drugiej strony brak pewności siebie, tak bardzo widoczny u tego mężczyzny, wprawił ją w dobry nastrój. Kobieta zawsze wyczuwa, kiedy rządzi.

– Tu, w bursie, krąży pewna legenda. Wszyscy wierzą, że to ich pokój jest tym, w którym mieszkali García Lorca i Dalí – zaczął David.

– Ty również?

– Istnieje tyle teorii, że można napisać na ten temat doktorat. Dawniej stały tu dwa łóżka i umywalka. Prysznic znajdował się na końcu korytarza. To jest ten prawdziwy pokój. W tym łóżku sypiał poeta.

– Jesteś pewien?

– Trzeba w to wierzyć.

Ana podskoczyła na łóżku, aż zaskrzypiały sprężyny, a potem położyła się, opierając łokieć na poduszce; wyglądała olśniewająco w wąskich dżinsach, czerwonym golfie, ze słomianymi włosami, w adidasach i z grymasem na wydatnych ustach. Czuła swą przewagę i bezbronnym spojrzeniem wyzywała go na pojedynek, wiedząc doskonale, że ma przed sobą zdanego na jej łaskę dojrzałego mężczyznę, któremu bardzo się podoba. Wzbierała w niej czułość, kiedy on, zdenerwowany, najpierw wpadł na krzesło, potem na kosz i wreszcie uderzył się o kant stołu, przewracając fotografię dziewczynki. To jego córka, tu ma trzy latka. Umarła niedługo po tym, jak zrobiono to zdjęcie. Tragedia. David nie podniósł fotografii, podszedł do okna i odwrócony plecami rzekł:

– Dziś wieczorem mamy piękne światło. Chodź, zobacz. Góry są jasnofioletowe, a niebo nad nimi jakby całe we krwi. Podejdź tu.

– Wiesz, że to łóżko jest bardzo wygodne?

– Spójrz na te oleandry w ogrodzie – upierał się David, nie odwracając głowy.

– Mówiłeś, że posadził je ktoś sławny.

– Posadził je poeta Juan Ramón Jiménez za czasów Drugiej Republiki. Siedemdziesiąt lat temu. Wciąż kwitną. Spędziłem wszystkie wieczory tego lata, obserwując, jak ostatnie błyski światła skupiają się na ich kwiatach. Od kiedy tu jestem, wyznaczały koniec każdego mojego dnia. Tylko to światło służyło mi za pocieszenie. A teraz zwiędły. Wiesz, że oleander jest silnie trujący?

Ana zsunęła się z łóżka, podeszła do okna, oparła głowę na ramieniu Davida, a on objął ją w pasie, delikatnie przyciągając ku sobie, tak że przez chwilę tak trwali, milcząc, w blasku miejskiego zachodu słońca i wreszcie ona, głosem prawie niesłyszalnym, wyszeptała:

– Musisz mi pomóc.

– Co się dzieje?

– Próbuję zakończyć pewną historię, bardzo ciężką, za ciężką, bardzo smutną, bardzo piękną, ale której dłużej nie zniosę – powiedziała Ana.

– Co mam zrobić?

– Musisz mnie uratować. Oleandry są trujące, tak?

– Zatruli się nimi niektórzy greccy i rzymscy herosi. I kilka koni Attyli.

– Mnie się podobają.

– Mnie też się podobają te zatrute ślady na twojej szyi. Co ci się stało? Co masz pod plastrem? Mogę zobaczyć?

– Zobacz, jeśli chcesz – wyszeptała Ana.

David delikatnie odsunął golf i złożył rozchylone usta na śladach niedawnej przemocy. Plaster skrywał ciemne nakłucie, pod którym pulsowała nabrzmiała krwią żyła. David delikatnie ucałował to miejsce i objąwszy Anę, prowadził ją w stronę łóżka, jednak ona na moment się oswobodziła, podeszła do stołu i postawiła fotografię przewróconą przez Davida.

– Tak może być? – zapytała.

– Może – wyszeptał w odpowiedzi.

Teraz dziewczynka znów uśmiechała się skrystalizowanym uśmiechem śmierci, patrząc, jak ojciec powoli roz-

34

biera Anę i na koniec kładzie ją obok siebie. W milczeniu zaczął gładzić profil twarzy opuszką palca, pamiętając, jak robił to w wyobraźni, telefonując o świcie, i szedł tym śladem, aż oboje zostali nadzy. Objęli się. Pożądanie sprawiło, że ona rozpłakała się z tęsknoty. Znów pojawiły się łzy.

- Często płaczę. Nie przejmuj się.
- Wszystko w porządku.
- No chodź – wyszeptała Ana.
- Przepraszam. Najpierw muszę ci coś powiedzieć – oznajmił z nagła David.
- Nic już nie mów.
- To nie jest zabawa, Ano. Proszę cię tylko, żebyś nie pozwoliła mi się ośmieszyć. Nie chciałbym, żebyś widziała we mnie uwodziciela idealnego. Bardzo mi się podobasz, ale nie wiem, czy pójdę za tobą do samego końca. Jestem dość stary.
- Nie zaczynaj.

David nigdy nie kochał się z kobietą, która płacze z rozkoszy i tęsknoty, a jednocześnie oddaje mu się w bezgranicznej namiętności. Ana też nie miała do tej pory okazji goszczenia w sobie mężczyzny po przejściach, który wchodził w jej ciało niczym rozbitek do spokojnej zatoki. Kiedy ich ciała się odnalazły, odnieśli obustronne zwycięstwo, choć po przeżytej rozkoszy uśmiechnięty ze szczęścia David miał pierś mokrą od łez, a Ana czuła, że po raz pierwszy od długiego czasu została odkryta i kierowana z niewysłowioną delikatnością. Dlatego płakała. Uczcili zwycięstwo papierosem, leżąc na plecach, nadzy, prawie po ciemku, przy fioletowym blasku padającym z okna.

- I co teraz? Co z nami będzie? – wyszeptała Ana.

– Nie wiem. Jest ci dobrze? – spytał David.

– Teraz tak. Musisz mi pomóc – powiedziała Ana.

– Opowiedz mi o tym pianiście.

– Kiedyś.

– Teraz – naciskał David.

– Nie, nie teraz. Czyli w tym skrzypiącym łóżku sypiał García Lorca?

– Właśnie. W tym skandalicznie głośnym, jeśli chodzi o miłość, łóżku spał wielki poeta – wymruczał David.

– Może z tego łóżka patrzył w gwiazdy.

– Wiesz co? Mnie nauczył rozpoznawać gwiazdozbiory jeden wilkołak w pewną letnią noc – oznajmiła Ana.

– Zwariowałaś. Naprawdę wilkołak nauczył cię patrzeć w gwiazdy?

– Jedna z nich nosi moje imię.

... jego miłość nie była jedną nieprzerwaną namiętnością. Składała się z wielu kolejnych miłości. Nie poniósł również absolutnej klęski, znalazł się jedynie na długiej drodze odwrotu po wielu przegranych...

Tamtej pamiętnej nocy David pojął, że jest tchórzem, gdy brakło mu odwagi, by zmierzyć się z niebezpieczeństwem, które niosła miłość Silvii, dziewczyny z zagmatwanym życiem, jego kochanki. To był kolejny upadek, spowodowany litością albo strachem, nieokreślonym uczuciem, które dopadało go zawsze, kiedy musiał rozegrać decydującą partię. To zdarzyło się dziesięć lat temu. Tamtego dnia jedli razem lunch w jednej z pobliskich restauracji, a potem kochał się z nią namiętnie, przy wybuchach beztroskiego śmiechu, w ogromnym bloku, gdzie mieszkała Silvia, a w którego windach profesor natykał się na Latynosów i innych wykolejeńców, szukających jakiejkolwiek pracy. David przyzwyczaił się do podwójnego życia, spokoju w domu i przygód poza nim, wtedy to nie niszczyło jego duszy.

Rozstał się z Silvią i wczesnym popołudniem wygłosił wykład o Virginii Woolf i grupie Bloomsbury w akademiku, w którym mieszkał, kiedy przygotowywał się do objęcia profesury. Fascynowali go tamci artyści, którzy postanowili żyć na przekór moralności wiktoriańskiej, w jednej z dzielnic Londynu, na początku XX wieku. Pisarze, ekonomiści, poeci, tacy jak Forster, Keynes, T.S. Eliot, pod wodzą pełnej blasku neurozy samobójczyni Virginii Woolf próbowali uczynić ze swojego życia przejrzyste dzieło sztuki, łącząc estetykę i dekandenckie nałogi. Ze zmąconym umysłem, uwiedzionym przez owe niezwykłe postacie, wróciwszy do domu, David musiał zmierzyć się z banalną rzeczywistością. Jednoczesne poczucie szczęścia i winy wywołało dziwny niepokój, który z kolei stał się katalizatorem wynikłej z dość błahego powodu wieczornej kłótni z Glorią, jego żoną. Nie mogli dojść do zgody, czy przed snem należy zamknąć, czy otworzyć okno w sypialni, potem on miał pretensję o parę włosów żony zostawionych na umywalce, ona zaś wypomniała mu, że nigdy nie zamyka deski na ubikacji i nie zakręca butelki z szamponem, a potem zaczęli nawzajem się obrażać słowami, których nie można cofnąć, by wreszcie dać upust nagromadzonej frustracji, której nieodłącznie towarzyszył duch zmarłej córki, i tym razem cały rytuał ciągnął się jeszcze długo po północy.

David słyszał płacz kobiety, z którą przeżył wiele lat, więc dodawał sobie odwagi, miotając przekleństwa, i pod wpływem nagłego impulsu wkładał do walizki rzeczy przydatne w pośpiesznej ucieczce: koszule, gatki, skarpetki, szczoteczkę do zębów. Wreszcie, jak w amoku, złapał ramkę ze zdjęciem zmarłej córki, Palomy, stojącą na komodzie i włożył ją między rzeczy. Tym symbolicznym gestem zapragnął przeciąć ostatni węzeł łączący go z żoną i, wciąż przeklinając, koło pierwszej w nocy trzasnął za sobą drzwiami, wyszedł na ulicę i na chodniku, czekał z lekkim bagażem na taksówkę, choć pewnie wystarczyłaby mu nawet śmieciarka, tak bardzo czuł się udręczony. Zdaje się jednak, że wszystkie odpadki, poza nim samym, zostały już zawiezione na wysypisko.

– Taxi! Taxi!

Ciągle jeszcze obolały, poczuł naraz dziką wolność i tak stał ponad godzinę, walcząc z własnym lękiem w pustce nocy. Tym razem tego dokonam, przyrzekł sobie w duchu. To nie miłość, tylko nienawiść czyni cię wolnym. Litość nakłada ci więzy. Wystarczy podsycić niechęć do żony, żeby się od niej uwolnić. Próbował tego, gwałtownie szukając w pamięci jej największych uchybień. Już nie raz praktykował to w przeszłości, ale i teraz każda wada, którą u niej wynajdywał, spotykała się z jakąś jego własną, równie poważną, i na koniec jak zawsze poczuł się winny. Bo przecież to tylko nuda przygniatała ich życie, a ich bratnie ciała z pewną regularnością musiały uwalniać się od jej ciężaru.

Za to z Silvią, trzydziestodwuletnią aktorką o urodzie Mulatki, uroczo nieprzewidywalną i tryskającą humorem, wiódł życie intensywne i podniecająco niebezpieczne, choć to niebezpieczeństwo utrzymywał zawsze pod kontrolą. Nie miał ochoty znosić Glorii ani dnia dłużej, miał prawo do wszelkich przyjemności tego świata i do swobodnego oddechu, więc głęboko zaczerpnął nocnego powietrza opustoszałego miasta, a ono wlało się weń, przepełniając mu pierś poczuciem wolności.

Teraz mógł iść wszędzie, wolny jak pies puszczony z łańcucha, ale jego brak odwagi stał się widoczny już po chwili samotności. David szybko zdał sobie sprawę, że nie potrafi znienawidzić Glorii. Litość trzymała go na uwięzi. Czy może zostawić żonę, skoro ona ofiarowała mu swoje życie, a w dodatku wiąże ich śmierć córki? Jakiż to pożałowania godny egoizm zmuszał go do ucieczki? Litość, jaką wzbudzała w nim żona, była podobna do żałości, jaką czuł do samego siebie, a poczucie winy za śmierć córki sprawiło, że niemal zapłakał. Gdyby Gloria wiedziała, że jedynie bardzo mu jej żal, to może przy odrobinie dumy posłałaby go do diabła, a sama pomyślałaby o samobójstwie? A jeśli przezwyciężyłby strach i wreszcie poczuł się szczęśliwy, to co by się z nim stało, gdyby Silvia go opuściła? Nie czuł się na tyle silny, by podjąć ryzyko. I choć był już o wiele za stary, żeby płakać na ulicy w środku nocy, nie żałował łez, które na swój sposób go pocieszyły. Wtedy podszedł do niego jakiś rozchełstany facet w foliowej kurtce, zatrzymał się, zmierzył go wzrokiem od stóp do głów i wręczył mu ulotkę.

– Jeśli ma pan dość, to panu pomoże. Najlepsze na świecie dziewczyny, młode, blondynki i brunetki, studentki – zaproponował.

– Nie, dziękuję. – David pokręcił głową.

– Jest też inny sposób. Każda z dziewczyn może pana zabrać tak daleko, jak pan zechce, bez zobowiązań – facet nie ustępował, wyciągając do niego ulotkę. – Ma pan jakieś życzenia? Służę koką doskonałej jakości. Właśnie przyniosła mi ją w dziobie papuga z Kolumbii.

– Dziękuję.

– Może piętnastka z Filipin? Chłopczyk z Tajlandii? Spełniam wszystkie życzenia.

– Nie. Nie.

– Proszę. Niech pan tego nie zgubi.

Facet włożył mu ulotkę do kieszeni marynarki i odszedł, pogwizdując. David rzucił okiem na ofertę rozkoszy, do których zachęcały czerwone światła migoczące na rogu, i był pełen podziwu dla tylu mrocznych ścieżek, które pojawiły się tu od czasu, kiedy on przestał bywać wieczorami w mieście. Mógł teraz je wszystkie przejść, przed nikim się nie tłumacząc. Najpierw płakał, teraz na myśl o nich się uśmiechał, a przecież i tak żadna z tych rozkoszy nie mogła się równać ze słodyczą miłości podarowaną mu dziś przez Sylvię. A zresztą nie wypada, by wszedł do burdelu, on, szanowany profesor uniwersytetu, z pośpiesznie spakowaną walizką w ręce i fotografią zmarłej córki.

– Taxi! Taxi!

Kiedy czekał na taksówkę, spojrzał na walizkę i przypomniał sobie pierwszą wizytę w domu publicznym. To było w dniu, kiedy zdawał maturę, jakieś trzydzieści lat temu, i wciąż doskonale pamiętał, że na egzaminie z hiszpańskiego miał dokonać interpretacji następujących wersów *Pieśni duchowej* Świętego Jana od Krzyża:

Radujmy się sobą, mój Miły
Chodźmy przejrzeć się w Twojej piękności
Na górę i na pagórek,
Gdzie rozlewają się wody przejrzyste,
I wejdźmy w puszcz ostępy cieniste.
A potem na wyżyny
W skaliste groty pójdziemy,
Które w ukryciu są osłonione.
I tam w ich wnętrze wszedłszy tajemnicze
Soku granatów pić będziem słodycze[*].

Dostał celujący. Dla uczczenia sukcesu na egzaminie wraz z trzema kolegami poszedł po raz pierwszy do burdelu, w tamtym prowincjonalnym miasteczku przycupniętego za katedrą, i to wtedy po raz pierwszy zobaczył nagą kobietę. Stał przy metalowym łóżku, obok miednicy z wodą, znieruchomiały i w milczeniu spoglądał na leżące ciało. Strach nie pozwalał mu poczuć pożądania, wsłuchiwał się tylko w uderzenia krwi pulsującej w skroniach. Nawet teraz, w środku nocy, pamiętał, co powiedziała tamta kobieta.

– Zostaw pieniądze na stoliku i połóż się obok, posłuchamy, jak śpiewają żaby, synku. – Jej twarz nie wyrażała niczego.

---

[*] Święty Jan od Krzyża, *Pieśń duchowa*, w: *Dzieła*, tłum. o. Bernard Smyrak OCD, Kraków 1986.

- Pięćset peset, tak? – wybełkotał David.
- Pięćset i coś dla mojej córeczki – uściśliła kobieta.
- Masz dziecko?
- Tak. Córeczkę, która jest w niebie.
- Umarła?
- Nie.
- To gdzie jest w takim razie?
- W niebie pod łóżkiem.

Zanim się rozebrał, David zajrzał pod łóżko i zobaczył tam drewnianą walizkę, ze złoconymi okuciami, pełną białych ubrań, bluzek, staników, majtek i sweterków. Otwarta służyła za kołyskę, w której spała kilkumiesięczna dziewczynka, otulona w chustę.

- A jeśli się obudzi? Naprawdę tylko śpi? – dopytywał się David.
- Nie przejmuj się. Jest przyzwyczajona. Nie obudzi się
- wymruczała kobieta.

Chóralna psalmodia, ślizgając się po omszałych ścianach kościelnego dziedzińca, docierała aż do burdelowego pokoju i w porze sjesty gregoriański chorał zdawał się kołysać dziecko do snu. Pamiętnego czerwcowego dnia kanonicy odprawiali swoje nabożeństwa w katedrze, a David miał jeszcze w pamięci poezję Świętego Jana od Krzyża, którą analizował na egzaminie maturalnym przed dwoma godzinami. *Chodźmy przejrzeć się w Twojej piękności / Na górę i na pagórek, / Gdzie rozlewają się wody przejrzyste;/ I tam w ich wnętrze wszedłszy tajemnicze / Soku granatów pić będziem słodycze.* Poruszony dźwiękiem psalmów, rozbierając się, zaczął sobie wyobrażać, że ciało tej kobiety nie jest ciałem śmiertelnika, które obróci się w proch ukarane za grzechy, jak uczyli go jezuici w szkole. Miał przed oczyma jedynie białe pagórki i różowe doliny, bardzo podobne do obrazka z dzieciństwa, na którym był też zagajnik z ta-

44

jemniczą grotą, ale nagle dostrzegł nieregularną bliznę od boku do środka brzucha.

– Kto ci to zrobił? – wykrztusił David.

– Zły człowiek – odparła.

– Nożem?

– Ustami.

– Nie rozumiem.

– Nie pytaj już o nic i kładź się obok, synku. Słyszysz, jak śpiewają żaby?

– Żaby? Jakie żaby?

– Księża, co pod łóżkiem śpiewają dla mojej córuni. Chodź do mnie, no chodź – wabiła kobieta.

– Nie mogę – opierał się David.

Miał w walizce fotografię zmarłej córki i z nią minął czerwone, migoczące światła burdelu na rogu ulicy.

– Taxi! Taxi!

Skoro nie było w całym mieście wolnej taksówki, którą mógłby odjechać w nieznane, nim uznał się za ostatecznie pokonanego i udał do domu, aby wraz z żoną pogrążyć się w rutynie szarych dni, David musiał podjąć decyzję, czy wysikać się na ulicy, niczym pies zerwany z łańcucha, którym pragnął się stać, czy skorzystać z ubikacji w domu publicznym. Być może potrzeba fizjologiczna stanowiła dylemat podsunięty przez los. Rozmyślał nad tym i ledwie żywy zdecydował się wkroczyć do przybytku rozkoszy, wpadając jednocześnie na szatański pomysł: jeśli wejdzie tam ze zdjęciem zmarłej córki, może odnajdzie ją śpiącą w walizce pod łóżkiem jakiejś prostytutki.

W półmroku ogromnej sali, na stołkach przy barze siedziało kilka ślicznych kobiet, które przesłały mu całusy znad rozłożonej dłoni. Na ciemnych kanapach jacyś faceci obmacywali ciała półnagich dziewczyn. David zapytał o łazienkę. Ktoś wskazał mu miejsce w głębi korytarza. W toalecie o zapachu mocnych perfum i środka czyszczącego słychać było śmiech klientów, który ginął w muzyce cicho rozbrzmiewającej w sali. Opróżniwszy pęcherz, mył ręce i przyglądał się sobie w lustrze. Stał jak przed sędzią, który miał zaraz ogłosić wyrok. Zaczął badać swoją twarz. Jedno z tych bezlitosnych luster miało wygłosić nieodwołalny werdykt. Ów młody esteta, który pragnął zmienić świat, używając piękna, z czasem poddał się regułom gry i tym pragmatycznym podejściem dorobił się worków pod oczyma. Porzucone ideały zamieniły się w raczej wyblakłe posiwiałe włosy. Każda ucieczka z pola walki o szczęście pozostawiła wyżłobienie na skórze, zmarszczkę na czole, wrażenie goryczy w grymasie ust. Nie mógł znieść własnego spojrzenia. Obraz tego drugiego ciała, odbitego w lustrze z całą bezwzględnością, strasznie go przygnębił, ale zaraz pomyślał, że być może gdzieś we wszechświecie posiada jakieś trzecie ciało, całkiem nowe, to, o którym wspominają sufi, a w którym mógłby się kiedyś schronić. David zgasił światło w łazience i pomimo absolutnej ciemności jego postać wciąż odbijała się w głębi lustra, choć on jej nie widział. Z walizką w dłoni stał z otwartymi oczyma. Pośród ciemności zdawało mu się, że odkrył we wnętrzu czarnego lustra obecność płetwonogiego anioła, który przewracał kartki albumu z fotografiami, gdzie kolejno pojawiały się: zepsuty rowerek na trzech kółkach, wyświechtany prochowiec, podarta książka, porzucony samochód. Potem ukazały się różne twarze utraconych miłości, których miny wyrażały niespełnione pragnienia, a na koniec serii w lustrze została tylko walizka z niezbędnymi ubraniami, ta trzymana przez niego w ręce. Rozpoznał wszystkie te rzeczy i wrażenia, które towarzyszyły mu przez życie.

W gęstym mroku wydarzyło się coś dziwnego. Dokładnie w tej chwili poczuł ognisty podmuch na policzku, tak jakby jakaś bardzo ciemna istota prześlizgnęła się do niego, by go pocałować. Nie słyszał otwieranych drzwi, ale doszedł go odgłos bosych stóp. Trwało to parę sekund. Potem znów usłyszał odgłos kroków, opuszczających pomieszczenie przez zamknięte drzwi. Włączył światło i odkrył na policzku krwawiącą ranę w kształcie ust. Wyszedł z toalety. Zamówił whisky, wypił parę łyków przy barze i tam jedna z prostytutek przetarła ten ślad papierową serwetką umoczoną w alkoholu.

– Nigdy nie widziałam takiej krwi. Kto ci to zrobił? – zapytała.

– Nie wiem.

– To jest krew, ale pod nią nie ma żadnej rany.

David wyszedł i z walizką w ręku błądził bez celu po ulicy, w końcu w ostatnim porywie wolnej woli zaczął szukać budki telefonicznej, żeby zadzwonić do Silvii. Próbował złapać oddech przed ciemną wystawą. Po dość długim krążeniu znalazł telefon, zamknął się w kabinie, zdjął słuchawkę, przeszukał kieszenie i przekonał się, że nie ma ani jednej monety. Miał coraz mniej sił, by mierzyć się z losem, ale zdobył się na jeszcze jeden gest, by później się nie wstydzić. O świcie w pustym mieście przejeżdżał czasami samochód albo z rzadka przechodził jakiś człowiek. David opuszczał dom w ponurym pośpiechu, wciąż jednak zachowywał się z wytwornością profesora i użył jej, by w sposób najbardziej godny poprosić o pomoc pierwszego nadchodzącego przechodnia. Niektórzy przyśpieszali kroku na widok zbliżającego się nieznajomego. Zatrzymał się jedynie żebrak.

– Przepraszam bardzo, czy mógłby mi pan pożyczyć sto peset? – zapytał zdesperowany David.

– Ja? Mnie pan prosi o jałmużnę? Niech Bóg panu pomoże, bracie – odparł żebrak, odchodząc z pochyloną głową.

Świtało, kiedy nadjechała furgonetka z prasą i dostawca zostawił obok jeszcze zamkniętego kiosku paczki z gazetami. David wyciągnął dłoń do okienka kierowcy.

– Proszę mi pożyczyć parę monet, żebym mógł zatelefonować, błagam. Jestem w kłopocie – prosił uniżenie.

– Ktoś tak elegancki jak pan nie powinien błąkać się po mieście o tej porze. Tu jest dość niebezpiecznie. Hieny jeszcze nie śpią – stwierdził kierowca.

– Jedyne niebezpieczeństwo, jakie mi zagraża, noszę w sobie – zawołał David.

– Proszę. Sto peset. Niech pan z tym idzie jak najdalej stąd.

– Dziękuję.

Furgonetka odjechała. W jednej z paczek rzuconych na chodniku obok kiosku na pierwszej stronie brukowca znajdowało się zdjęcie Silvii i tytuł na trzy kolumny. Madryt, młoda aktorka z podciętym gardłem, głosił nagłówek. Obok fotografii Silvii opublikowano zdjęcie jej napastnika, rozczochranego faceta z obsesją w oczach, powiązanego ze światem narkotyków, którego prawdopodobnie coś z aktorką łączyło. David nie zauważył tytułu, choć leżał u jego stóp, doskonale widoczny w srebrnym świetle świtu. Nie zważając na krzyk dziewczyny z pierwszej strony gazet obwiązanych konopnym sznurkiem, David podążył swoim szlakiem ku kabinie telefonicznej i wybrał numer.

– Czy zastałem Silvię?

– A kto mówi? – odezwał się męski głos po drugiej stronie.

– Przyjaciel.

– Nie ma Silvii. Jest pan jej narzeczonym?

– Nie, nie – wybełkotał David.

– Jest pan członkiem rodziny? Skąd pan dzwoni?

– ...

– Halo, halo?!

David odłożył słuchawkę. Nie odważył się wyjawić swego nazwiska ani przedstawić się jako przyjaciel Silvii, nie śmiał zapytać, co o świcie w mieszkaniu jego kochanki robi jakiś mężczyzna, ale ten twardy, niemal śledczy ton sugerował jakieś niebezpieczeństwo. Przerażony wizją kompromitacji, wrócił do domu, przekonany, że jego żona wciąż jeszcze tonie we łzach albo właśnie połknęła fiolkę pastylek. Gloria była silną kobietą. Leżała w łóżku, bardzo spokojna, udając, że czyta pismo o urządzaniu wnętrz. Powitała go beznamiętnie, z lekkim uśmiechem wyrażającym współczucie i wdzięczność, jakby przekonana, że powrót męża do domu był tak nieunikniony, jak prawo ciążenia. Powiedziała tylko:

– Widziałam w gazecie bardzo piękną kanapę. I fotele. Może zmienimy wystrój salonu? Trochę się nam zestarzał. A może zmiana mebli przyniesie nam szczęście? Wyczytałam to w jednym horoskopie.

David postawił fotografię zmarłej córki na komodzie, położył się obok żony i tej nocy nie padło między nimi już ani jedno słowo. Wyszeptał jedynie:

– Już w porządku. Wróciłem. Zgaś światło.

W sypialni pogrążonej w ciemnościach David zaczął rozpamiętywać inne stracone okazje na drodze do ostatecznej klęski. Po dwóch latach studiów na uniwersytecie w Heidelbergu, gdzie poszerzał wiedzę z historii literatury, zostawił w Niemczech koleżankę z grupy, dziewczynę z Monachium, z którą jeździł w weekendy do Baden-Baden. Co się z nią mogło stać? Pamiętał, jak siedziała obok niego pod lipami w jasnym wiklinowym fotelu na placu obok kasyna, naprzeciw muszli koncertowej, gdzie orkiestry dęte i mieszane wykonywały dzieła mistrzów. Wokół tylko damy w słomkowych kapeluszach i rumiani staruszkowie w białych garniturach, eleganccy młodzieńcy i dziewczyny o słomianych warkoczach, pośród których jego przyjaciółka, Eva Matews, swym boskim pięknem przywodziła na myśl postać z Tomasza Manna. Mogła stać się jego przeznaczeniem. W złotych latach sześćdziesiątych, kiedy byli kochankami, udali się na wyprawę do Egiptu. W drodze powrotnej spędzili tydzień w Berlinie. To był czas spełnienia. W ogródku przy Kudamm, obok mimów i teatrzyków ulicznych, które odgrywały sadomasochistyczne psychodramy, w cieniu zbombardowanego kościoła Eva odezwała się niespodziewanie:

– Kiedy zwiedzaliśmy piramidę Cheopsa, pamiętasz, zostawiłam w komnacie królewskiej życzenie zapisane na czerwonej kartce. Zrobiłam maleńki rulonik i wcisnęłam go w niewidoczną szczelinę w najbardziej niedostępnym miejscu. To była prośba do boga Ozyrysa.

– Co napisałaś? – chciał wiedzieć David.

– Nigdy się nie dowiesz. W grobie faraona nasze imiona na zawsze pozostaną razem. Wewnątrz piramidy nic nie ulega zniszczeniu. Jej dwusieczna wyznacza nieśmiertelność. Chciałabym, żeby taka była nasza miłość.

Zostawił Evę i jednocześnie poczuł też pierwsze oznaki spustoszenia w żołądku, a choć przez lata miewał wiele dziwnych przygód z kobietami, nigdy nie przestał wyobrażać sobie, że w najbardziej niedostępnej komnacie pewnej egipskiej piramidy przetrwa życzenie tamtej kobiety, odmierzając wieczność w *Księdze umarłych*, ale z czasem i to wrażenie zaczęło się rozwiewać, tak jak próżność, która przepełniała go za młodu. Dziś brak ciekawości i uwodzicielskiego czaru wprowadzały go do przedsionka starości. Pocieszał się myślą, że melancholię, ten jakże

słodki szczep, bogowie przeznaczyli dla nielicznych przegranych. Jego klęska zamieniła się w staw, którego lustro
w ciemnościach sypialni odbijało jego postać wśród
szczątków innych uczonych, lilii zmarłych dzieci, wykolejeńców, niebieskich ptaków i złotych jabłek, a on należał
do tej rodziny.

Nazajutrz w drodze samochodem na uniwersytet usłyszał wiadomość w radiu. Jakiś Brazylijczyk pchnął nożem aktorkę Silvię Díaz, która walczy o życie w klinice La
Paz. David zahamował tak gwałtownie, jakby Silvia we
własnej osobie rzuciła mu się pod koła samochodu. Zapar-
kował w cieniu akacji obok uniwersytetu, żeby się uspokoić przed zajęciami. Drżącą ręką zapalił papierosa. To
niemożliwe. Do późnego popołudnia był z Silvią w jej
mieszkaniu. Rozmawiali o wspólnych planach. Taka tragedia przechodziła jego wyobrażenia. Pojął teraz sens
śledczego tonu w głosie mężczyzny, który odebrał telefon. To zapewne policjant. A czy to przypadkiem nie
duch Silvii, w drodze w zaświaty, pojawił się w burde-
lowej toalecie, żeby złożyć pożegnalny pocałunek Davidowi stojącemu w ciemnościach przed lustrem? Na
dzisiejsze poranne zajęcia przygotował wykład o poecie
prerafaelickim, Dantem Gabrielu Rossettim, którego żona, Eleanor Siddal, po śmierci została pochowana z ma-
nuskryptami wierszy swojego obłąkanego męża, po latach odnalezionymi w stanie nienaruszonym między jej
doczesnymi szczątkami. Wspominając Silvię, David szeptał do samego siebie właśnie te wiersze: *Twe otwarte dłonie leżą śród trawy wysokiej, opuszki palców są jak różowe
kwiecie, promieniują spokojem oczy, łąka raz w cieniu
a raz blaskiem świeci pod niebem, gdzie raz błękit, raz*

51

słońce przykryte obłokiem[*]. A potem profesor, bliski śmierci, podążył na zajęcia, walcząc ze swoim bezsensownym życiem.

David szukał otuchy we wspomnieniach. Silvia pragnęła zostać wielką aktorką i ciężko nad tym pracowała. Pochodziła z rodziny przybyłej z prowincji, osiadłej na przedmieściach Madrytu, wyglądem wciąż przypominała dzikie zwierzątko, jak w czasach dzieciństwa w almeryjskiej wiosce. Opowiadała mu, że jako dziecko wiele razy gubiła się w polu, bo chciała dojść do horyzontu, a horyzont, kiedy szła naprzód, wciąż się oddalał, aż któregoś dnia noc zapadła zbyt szybko i cała wioska z zapalonymi pochodniami wyruszyła na poszukiwanie małej dziewczynki, i znaleźli ją śpiącą w owczarni, wśród ciepłych owieczek, jakby była jedną z nich. To z tych bezowocnych wypraw do horyzontu zrodziła się jej ambicja. Była utalentowana i bardzo piękna. Brała lekcje tańca, z analfabetki stała się miłośniczką prozy Hermanna Hessego, Kawafisa, Hölderlina i książek wielu innych autorów, które jej polecał, i być może najszczęśliwszym dniem w jej życiu był ten, kiedy zadzwonił do niej agent z propozycją drugoplanowej roli w sztuce Calderona, co pozwoliło jej opuścić podejrzany lokal przy Gran Vía, gdzie Silvia późno w nocy występowała w erotycznym programie dla pijanych gości.

Widywali się prawie codziennie, a David czuł się jej Pigmalionem, i choć jako ostatni dowiedział się o tym dość podejrzanym przyjacielu z rewiowego półświatka, to i tak ta kobieta stała się w życiu statecznego profesora literatury wielką namiętnością, rozkochując go w sobie do

---

[*] Dante Gabriel Rossetti, *Silent Noon*.

szpiku kości i czyniąc zeń swego księcia z bajki. Przyrzekł jej, że pewnego dnia zostanie wielką gwiazdą, że jej
nazwisko zawiśnie na fasadach teatrów i wtedy będzie się
pokazywać w modnych lokalach, wsparta na ramieniu in-
telektualisty z długimi włosami i w okularach w metalo-
wych oprawkach, jak David, a jemu takie życie na skraju
przepaści nigdy się nie znudzi.

Silvia obracała się w mrocznych strefach. Czasami wy-
ruszała na tajemnicze wyprawy. Znikała na pewien czas,
a potem w radosnym uniesieniu powracała w ramiona
Davida, który nie pytał o te wycieczki, aż pewnego dnia,
nie zjawiła się na umówionym spotkaniu, a potem wyjaśniła, że była w więzieniu w Carabanchel, żeby zanieść koce
i jedzenie pewnemu przyjacielowi, Brazylijczykowi. Ta-
jemnice w życiu Silvii zamiast zaniepokoić Davida uczyni-
ły romans jeszcze bardziej ekscytującym. Bo w końcu czy
to nie było przyjemne, że on, profesor, ugrzęzły w solid-
nym i szanowanym małżeństwie, doświadczał sekretnych
rozkoszy i igrał z uczuciem na wskroś niebezpiecznym?
Dzień wcześniej, w czasie lunchu, Sylvia stwierdziła, że
chce pojechać na Ibizę, żeby trochę odpocząć, i poprosiła,
by udał się tam razem z nią. David był gotów to zrobić
i być może ta noc stałaby się przełomowym momentem
jego życia, gdyby nie wmieszał się w nią nóż dilera kokai-
ny, któremu Silvia była winna pieniądze, już raczej nie do
odzyskania.

Wtedy to przeświadczenie zamieniło się w pewność.
Z gardłem podciętym przez tamtego łajdaka, w drodze do
szpitala Silvia opuściła na moment karetkę, żeby zjawić
się w łazience w burdelu i wśród śmiertelnych ciemności
przekazać mu pożegnalny pocałunek.

Żyła jeszcze parę dni, niektóre gazety twierdziły, że to
prostytutka, ale David wiedział, że to Boże stworzenie,

najczystsza istota, jaką poznał w życiu, dziewczyna, która oddała mu duszę, nie przejmując się konsekwencjami, a przecież, kiedy nadszedł moment, żeby odpowiedzieć na to bezwarunkowe oddanie, stchórzył w obawie, że ktoś taki jak on, profesor uniwersytetu, mężczyzna żonaty, zostanie powiązany ze światem narkotyków. Odmówił przez telefon tamtej nocy. Przerażony wizją przesłuchania nie zapytał o Silvię w szpitalu, gdzie intubowano ją jeszcze przez tydzień, a kiedy zmarła, w dniu kremacji nie przesłał nawet kwiatów, choćby anonimowo. Jednak o tej samej porze, kiedy miało spłonąć ciało Silvii, David udał się do parku Retiro, usiadł na ławce i rzucając ptakom okruszki chleba, przesłał jej w myślach strofy z Rossettiego, aby zapaliły między nimi najczystszy ogień: *O, niech w sercach naszych na wieczność trwa bliska nam towarzyszka, godzina ta, kiedy milczenie dwojga stało się pieśnią miłości*[*], wiersze, których już nigdy nie uda się uratować z płomieni.

---

[*] Dante Gabriel Rossetti, *Silent Noon.*

... trzeba było dokonać wyboru: przestać cierpieć albo przestać kochać; David kluczył pomiędzy pożądaniem a bolesnym niepokojem i nie wyszedł z diabelskiego kręgu, póki nie zrozumiał, że kochać można tylko to, czego się nie posiada do końca...

Czasem po południu Ana wspinała się na Wzgórze Wichrów, a choć nadchodziła jesień, wonne zioła zachowały w sobie ciepło lata. David przechadzał się między rzędami krzewinek posłonków, lawendy, rozmarynu i tymianku, których zapach kształtował duchowość ogrodu, urwał parę źdźbeł i tarł je w dłoniach tak długo, aż ręce zaczęły mu pachnieć. Potem dał je powąchać Anie, a ona zamknęła oczy i z uśmiechem wdychała intensywną woń; wtedy David położył dłonie na policzkach dziewczyny i pochylił się, by pocałować jej usta, i już czuł smak szminki, a ich oddechy zmieszały się, kiedy Ana wypowiedziała tajemnicze słowa, powtarzane zresztą od jakiegoś czasu.

– Wiesz co? Mam czarną duszę, bo wciąż jestem martwa.

– Ja też jestem martwy – wyszeptał David.

– Pomóż mi. Przyjdź do mnie jutro – poprosiła Ana.

Niemłody już profesor zakochał się w Anie Bron, gdy tylko oznajmiła mu, że poraniona kończy właśnie pewien romans, i prosiła go, prawie ze łzami w oczach, żeby ją przytrzymał, żeby ją uratował. Czy mógł odmówić tej pełnej uroku i ledwie żywej kobiecie, która prosiła, by się z nią zabrał, skoro wiedział, że to i jego ostatni pociąg?

Prawdopodobnie ten dobiegający sześćdziesiątki mężczyzna, nie potrafił oprzeć się potężnemu ładunkowi erotyzmu, jakim emanowała młoda kobieta, i uległ jej z czystej próżności, ponieważ ona od pierwszej chwili oddała mu się całkowicie i bez zastrzeżeń, gotowa pójść jeszcze dalej, ofiarując mu wszystko w zamian za odrobinę miłości.

Pewnego październikowego popołudnia David po raz pierwszy udał się do domu kochanki. Już na półpiętrze słychać było dźwięki wiolonczeli. David przez chwilę słuchał melodii, przerwał ją w końcu cichym dzwonkiem. Usłyszał kroki za drzwiami i zobaczył Anę, w mocnym makijażu, z czerwonymi ustami, w dżinsach i golfie. Przywitali się z wyszukaną uprzejmością jeszcze w przedpokoju, spowitym jakimś kościelnym zapachem.

– Co tak pachnie?

– Zapaliłam dla ciebie kadzidełko – odparła Ana.

– A gdzie ofiarny ołtarz? – zapytał David.

– Nie ma żadnego ołtarza. Przepraszam za bałagan.

Nawet woń kadzidła w mieszkaniu samotnej osoby nie zlikwiduje mocnego zapachu powiązanego z jej wnętrzem. Składają się nań: ciepło wydzielane przez meble, ekstrakty smaków docierające z kuchni, delikatny fetor z lodówki, letnia wilgoć na ścianach łazienki, pot z pościeli w sypialni, którym przesiąkł też materac, ale przede wszystkim wyczuwalny w korytarzu i pokojach ślad po wielu dziwnych gościach, których tłusty opar unosi się w powietrzu. David doświadczył niezwykle intensywnie obecności niewidzialnego wroga, przyczajonego w zakamarkach mieszkania, i prawie dostrzegł ślady jego wzroku, pozostawione na każdym z domowych sprzętów; usilnie próbował wyobrazić sobie krążącą tu postać i nawet zdawało mu się, że dostrzegł na jednej z poduszek sofy nasienie wilka, którym wcześniej przesiąkło całe wnętrze.

Kiedy Ana robiła drinka, David rozejrzał się dookoła i natychmiast dostrzegł ogromną fotografię na jednej ze ścian. Przedstawiała młodego mężczyznę w znoszonym prochowcu, który, odwrócony plecami, szedł pustą aleją. Nie było widać nawet profilu twarzy. Tylko rozczochrane włosy i z determinacją stawiane kroki. To zdjęcie nie stanowiło zwykłej dekoracji. Płynąca z niego moc była czymś więcej niż sztuką. Stanowiło wizerunek tajemniczej istoty, która egzekwowała tu swoją władzę.

Ana wyjęła tacę z butelką porto, jej ulubionego trunku, i wraz z dwoma kieliszkami zostawiła ją na stoliku naprzeciw sofy, ustawionej dokładnie pod tą fotografią. Nad brudnym Madrytem zapadał wieczór i właśnie warstwa tlenku węgla posłużyła słońcu do namalowania złotego zmierzchu w oknie salonu wychodzącym na placyk. Ana napełniła kieliszek.

– Kto to? – zapytał David.

– On.

– Bogdan?

– Tak.

– Widać tylko jego plecy. Naprawdę odchodzi?

– To było w Bukareszcie.

Bogdan Vasile rozparł się nie tylko na tej jednej ścianie; David czuł jego obecność w całym domu do tego stopnia, że mógł wyobrazić sobie jego miłosne westchnienia wciąż wiszące w powietrzu. Jak może wyglądać orgazm wilkołaka? Czy jego ogniste oczy jarzą się namiętną rozkoszą? Co czynią jego pazury na szyi ukochanej? Pochłonięty tymi rozważaniami David podniósł kieliszek i wzniósł coś na kształt toastu:

– Im brudniej jest wokół a dusza bardziej zgnębiona, z tym większym blaskiem rozbłyśnie piękno.

– Tak zawsze będzie z nami – zawołała Ana.

Najpierw delikatnie się całowali. Szeptali do siebie tkliwie. Pieścili się z niezwykłą czułością, a złotawe światło wieczoru, wpadając do salonu, skupiło się na szkle kieliszka, przydając porto krwistych odcieni. Profesor kazał spojrzeć Anie na świetlny refleks i dostrzec całą jego poezję, a potem upił spory łyk i przytrzymał wino w ustach. Zbliżył się do Any i pocałunkiem przelał trunek na jej język, a ona przełknęła go, odczuwając rozkosz i zaskoczenie. Powtórzyli tę winną ofiarę jeszcze dwa razy, okazując radość podekscytowanym śmiechem. Ana nigdy nie bawiła się w ten sposób.

Za trzecim razem, kiedy przelewali wino z ust do ust, Davidowi wyciekło trochę porto, spływając po brodzie i szyi. Nagle przestraszył się niemal zwierzęcego jęku Any, która objęła go, cała drżąca, i zaczęła zlizywać rozlane wino.

– Co ty robisz?

– Nic – odparła.

– Co się z tobą dzieje?

– Nic. Nie widzisz, że umieram? Nie widzisz?

David przytulił ją, jakby była rannym zwierzątkiem, i szeptał czule, pragnąc uspokoić, i udało się to, ale dopiero po paroksyzmie spełnienia, który niewiele miał wspólnego z uniesieniem, a raczej z konwulsjami osoby poddanej egzorcyzmom. To wtedy David po raz pierwszy poczuł, że siła tej dziewczyny może zmienić rzeczy niezmienne.

Objęci udali się korytarzykiem do sypialni, gdzie oparta o krzesło stała wiolonczela, a od jej pudła odbijały się ostatnie wieczorne blaski słońca wpadające przez balkon. Położyli się na łóżku i w milczeniu oddali pieszczotom. Zwiewne różowe zasłony podkreślały atmosferę spokoju, ale ściana przy łóżku nosiła ślady zadrapań, które David dostrzegł po pierwszym głębokim, długim pocałunku.

– To ślady twoich pazurków? – zapytał.

– Tak.

– To się nie powtórzy.

– Nie.

Znów zaczęli się kochać. David sprawił, że rzuciła się na wielką głębinę, tam gdzie wśród skał pływają tylko ciemne ryby, a uczynił to jedynie za pomocą czułych szeptów i właśnie wtedy przed nim stanął ten trzeci mężczyzna. Ledwie poczuła pieszczotę, rozszerzyły się skrzydełka jej nosa, co jest częstym zjawiskiem w królestwie zwierząt, u samic pełnych seksualnego powabu, jak klacze czy pantery, i natychmiast zaczęła chłonąć otaczającą rozkosz, tworząc nad łóżkiem próżnię, która połknęła samego kochanka. Nie zawsze się jej to zdarzało. Tylko w chwilach wyjątkowego podniecenia, a to był właśnie taki moment. I choć szukając rozkoszy, zdawała się myśleć tylko o sobie samej, nie była egoistką, która chce wszystkiego dla siebie, bo jej utrata zmysłów to była śmierć, ofiarowana niczym dar partnerowi i rzecz jasna David czuł się jak władca, wchodząc i wychodząc do woli z ciała Any, i, jak mu się zdawało, również z jej duszy, ale w czasie orgazmu, znienacka, jej jęki ustały, ustał też oddech i jej ciało zesztywniało, wyglądało jak martwe i w chwili ostatecznej rozkoszy Ana w uniesieniu wołała Davida innym imieniem.

– Oh!... Martín..., Martín..., kocham cię! Kocham cię, Martín! Martín! Chodź! Chodź! Gdzie jesteś, moja miłości?

I mrucząc wciąż to imię, powoli wracała do świadomości. Potem, kiedy w milczeniu paliła papierosa z powiekami nabrzmiałymi rozkoszą, David zapytał, kim jest ten Martín, który wyszedł z jej najtajniejszych głębi, gdy prawie umierała z rozkoszy.

– Powiedziałam Martín? Naprawdę?

– Właściwie krzyczałaś.

– Nie wiem, kto to. Nie znam żadnego mężczyzny o tym imieniu. Nie pytaj, dlaczego to zrobiłam. Nie wiem. Być może popadam w obłęd. Musisz mi wybaczyć.

– Nie wiesz, kim jest Martín?

– Nie.

– Jesteś pewna?

– Nigdy w moim życiu nie było nikogo o tym imieniu. Przysięgam.

Ana nie znała nikogo o imieniu Martín, ale już drugi raz kogoś takiego przyzywała. Martín istniał, choć w tej chwili znajdował się jeszcze bardzo daleko.

Gdzieś żyła tajemnicza postać, może tylko zmyślona, o imieniu Martín, która wyłaniała się z głębin ekstatycznego upojenia Any, ale tylko wtedy, gdy niemal umierała z rozkoszy, za to w rzeczywistości żył prawdziwy kochanek, pianista Bogdan, czterdziestopięcioletni Rumun, który niczym potężny demon powoli opanował myśli Davida, bo to z nim David miał stoczyć walkę o ukochaną, jak w gotyckiej powieści grozy. Po raz pierwszy w życiu poczuł zazdrość. To było jak uderzenie w przeponę, które nie pozwala oddychać, i powoduje uczucie pustki w żołądku. Zniszczony wiekiem profesor, doświadczony w wielu zwykłych romansach, raptem się zorientował, że porywa go namiętność, jakiej nigdy nie zaznał.

Dręczył go obraz dłoni pianisty przelatujących nad klawiaturą z taką samą niezwykłą czułością, z jaką w upojne noce zabawiały się duszeniem Any, kiedy ich właściciel pragnął się podniecić. Mrok sypialni rozpraszał jeden tylko błysk światła odbijającego się na drewnianym pudle wiolonczeli i przy tym delikatnym blasku Ana wyznała, że Bogdan staje się agresywny wobec niej jedynie w momentach natchnienia. Interpretacja lirycznego utworu Schuberta i pieszczota na szyi kochanki stanowiły rodzaj podobnego ćwiczenia i w obu przypadkach palce Bogdana wydobywały doskonały dźwięk tak z gardła Any, jak z klawiszy fortepianu.

– O mało mnie nie udusił, ale nie potrafię oddzielić tego strachu od rozkoszy – zaczęła opowiadać Ana, już spokojna. – Kiedyś, przy goleniu, Bogdan zaciął się w szyję. Najpierw poprosił, żebym zlizała mu krew, a ja, robiąc to, poczułam się ogromnie zmieszana. Teraz sam rani się nożem i zmusza mnie, żebym piła jego krew. Kaleczy sobie ramię, udo, cokolwiek i przytrzymuje mi głowę, żebym piła z tego źródła. Jest słodka. Słodka. To nie jest żadna sadomasochistyczna zabawa, ale ofiara składana przez starożytnego kapłana, który wydziera serce, by oddać je bogom.

– No cóż – rzekł David – to w końcu nic dziwnego. Ten miłosny rytuał został skodyfikowany. Słyszałaś kiedyś o lamiach? To kobiety, które pożerały mężczyzn. Również niektórzy mężczyźni muszą napić się krwi ukochanej kobiety, aby zaznać ukojenia. Czy to sprawia ci ból?

– Na początku to był rodzaj zabawy. Teraz Bogdan już nie umie żyć, nie pijąc mojej krwi. Wampiry z Bałkanów pochodzą z całkiem innego piekła. Nie ma ono nic wspólnego z tym, co nam się przytrafia – stwierdziła Ana.

– To uświęcona ofiara krwi, praktykowana już w starożytnym Egipcie – odrzekł David.

– Nie wiem, czy będę jeszcze zdolna żyć mniej intensywnie. Muszę się leczyć. Pomożesz mi?

– Jak?

– Będąc przy mnie, może to wystarczy. Nie wiem. Możesz spróbować pokochać mnie spokojnie, jakbyś opiekował się osobą po ciężkiej chorobie. Opowiadaj mi o poetach, o kwiatach, o żeglowaniu, o podróżach. Uwierzę ci we wszystko. Wiesz, jako dziecko miałam włosy jasne jak śnieg i czasami chodziłam do stodoły przy domu na wsi spoglądać na morze. Mieszkaliśmy w wiosce dość odległej od niego, ale pewnego wrześniowego popołudnia, po bezskutecznych próbach przez całe lato, ujrzałam bardzo niebieskie morze u mych stóp.

– Chcę, żebyś zapomniała o pianiście. Uczynię wszystko, co w mej mocy, by między nami wynurzało się tylko imię Martín.

– Będziesz mnie musiał bardzo pokochać, aby stał się cud. Zdaje się, że wypowiadam to imię tylko wtedy, gdy umieram. Będziesz musiał przywieść mnie do granic rozkoszy – powiedziała.

– Chcesz się w to zabawić? Bez wątpienia to mniej niebezpieczne niż igranie z nożem.

David obiecał sobie, że zdobędzie tę okaleczoną kobietę jedynie czułością. Tam gdzie ten pierwszy używał przemocy, on użyje wyobraźni, zastąpi krew słodkim winem, bardzo do niej podobnym, a jedynym ostrzem między nimi stanie się linia ich ust. Zaczęli błądzić. David wszedł w iście diabelski labirynt, bo chcąc go opuścić, musiał pieszczotami zepchnąć Anę w przepastną otchłań, gdzie czekał kochanek o imieniu Martín. Było to trudne miłosne ćwiczenie, wymagające sporej fantazji, a przecież im bardziej ją kochał i im więcej przyjemności jej sprawiał, tym bardziej Ana oddalała się od jego czułości, aby zatopić się we wspomnieniach czy pożądaniu do nieznajomego mężczyzny. Ale ta zabawa wciągnęła również Davida, do tego stopnia, że kiedy Ana nie przyzywała Martina w chwili ekstazy, David uznawał to za swoją porażkę. Zresztą było to rozczarowanie obustronne i choć Ana nie robiła mu wyrzutów, nad łóżkiem wyczuwało się nastrój przegranej bitwy lub nieukończonego biegu.

– Dziś zjawa się nie pojawiła – oznajmiało potem któreś z nich, kiedy już palili papierosa.

– Obejmuję ciebie i obejmuję jego – stwierdziła Ana któregoś dnia.

– Seks to zawsze sprawa trojga. Ty i ja, i ten nieznajomy, stworzony między nami dwojgiem. Ty i ja, i ten trzeci, którym jesteśmy my dwoje. Mówiłem ci kiedyś, że jestem jak ruiny. A w każdych starożytnych ruinach zazwyczaj znajduje się rzeźba fallusa tajemniczego boga albo waginy nieznanej bogini płodności. Kiedy umierasz w moich ramionach, czuję, jak mnie niszczysz.

– Kim może być ten Martín... – zastanawiała się Ana z uśmiechem zakłopotania.

– Kimś z fallusem uniesionym pośród ruin. Kozłem wyrzeźbionym w kamieniu, który prosto z mitologii wkroczył do twojej podświadomości.

... jak to możliwe, kły zbroczone krwią w blasku pełni księżyca? Czy można się kochać w ciemności, pod
bacznym spojrzeniem jeleni?

Ich rzeki biegły z oddali, wypływały z wielu kolejnych ciał, aby pewnego dnia połączyć się w jeden strumień miłości. David Soria miał trzydzieści pięć lat, właśnie zaczął wykładać w katedrze historii literatury i w owym czasie wciąż pozostawał pod urokiem wdzięku i naiwności Glorii, którą kochał, wcale się nad tym nie zastanawiając, a Ana Bron, długonoga nastolatka, chodziła do siódmej klasy konserwatorium, najczęściej z przyciśniętą do piersi, oklejoną nalepkami z Jamesem Deanem, teczką pełną partytur. Czasami robiła balony z gumy do żucia.

Tamtego lata, w sierpniu, zaczęła trenować koszykówkę na obozie w górach. Wierzyła we własne siły i była bardzo pracowita, choć niezbyt wysportowana. W konserwatorium wszyscy profesorowie chwalili naturalny wdzięk, z jakim grała na wiolonczeli utwory Boccheriniego czy Bacha, co niespecjalnie ją wzruszało, a gdy ktoś zbyt zachwycał się jej talentem, odczuwała pewien niesmak; za to Mikel, trener koszykówki, śledził każdy jej ruch na boisku i wypominał najmniejszy błąd gniewnym okrzykiem, nierzadko obraźliwym. Takie zachowanie wzbudzało w dziewczynie poczucie winy, ale jednocześnie ją podniecało. Nie wiedziała, jak zadowolić tego mężczyznę. Nie rozumiała jego obsesyjnej potrzeby upokarzania jej przed koleżankami z drużyny.

Mikel był dwa razy od niej starszym i dość przystojnym, cudzoziemcem, ktoś wspomniał, że bezpaństwowcem.

Śmierdział potem, a spod jego bardzo obcisłej koszulki przebijały pulsujące żyły bicepsów. Mówił po hiszpańsku szorstko albo delikatnie, w zależności od nastroju. Już pierwszego dnia zauważył tę silną, smukłą, jasnowłosą dziewczynę. Umiał wyczuć zdobycz i najprawdopodobniej był przyzwyczajony do takich polowań. Najpierw osaczał dziewczynę, wysysając z niej całe wnętrze pożądliwymi spojrzeniami i idącymi za nimi porozumiewawczymi mrugnięciami, czasami nie potrafił się opanować i korzystał z każdej sposobności na meczu, żeby dotknąć jej na boisku w sposób pozornie przypadkowy, bezczelnie objąć w pasie, uszczypnąć w szyję, nie obawiając się, że ktoś rozszyfruje jego zamiary, a potem beształ ją przy koleżankach. Tak ją sobie w tajemnicy urabiał przez wiele dni. Aż pewnego przedpołudnia, kiedy Ana trochę za długo brała prysznic i szła przez szatnię cudownie wilgotna, rozluźniona, ze sportową torbą na ramieniu, trener podszedł do niej zdecydowany na wszystko.

– Ana, musimy pogadać – oznajmił znienacka.

– Wiem, co mi powiesz, że jestem ostatnią łamagą, tak? Zawsze gubię się pod koszem.

– Nie.

– Więc o co chodzi?

– Chcę ci powiedzieć coś innego, ale na razie brakuje mi odwagi.

– Niby co. Powiedz.

– Nie teraz. Jak przybędzie mi odwagi – zawołał ze śmiechem Mikel.

– To coś złego?

– Raczej cudownego.

– No to już, gadaj.

– Powiem ci, jak będziesz grzeczna. Kiedyś ci powiem – odparł Mikel cichym głosem i spojrzał jej w oczy głęboko i zbyt natarczywie.

Nie zaspokoił jej ciekawości, lecz dalej sprytnie ją podsycał wystudiowaną obojętnością, wreszcie sam nie wytrzymał i znów zaskoczył ją w szatni, złapał za rękę i zmieszanym głosem, delikatnymi i wcześniej przygotowanymi słowy obwieścił, że jest w niej zakochany, że zwariował, że mu się podoba, że chciałby jej powiedzieć tyle miłych rzeczy, gdyby kiedyś spotkali się sam na sam. Ana poczuła się dziwnie, jej serce waliło jak oszalałe, a mężczyzna odszedł, zostawiając ją w szatni, przed lustrem pokrytym parą spod pryszniców, tak że nie mogła dojrzeć w nim swojej spłonionej twarzy. Nie wiedziała, co ma myśleć, ale było jej przyjemnie i po chwili wzburzenia poczuła dumę, że to ją wybrał ten młody, przystojny mężczyzna, który podobał się wszystkim koleżankom z drużyny, a nawet dla paru stanowił obiekt miłosnych westchnień. Mikel osaczał ją dyskretnie, a dziewczyna zaczęła miotać się w sieci, nie chcąc zrezygnować z gry podniecającej bardziej niż jakakolwiek dyscyplina sportu, do którego i tak brakowało jej talentu. Uchodziła za najładniejszą na obozie, choć jej wielbiciel czasem wzbudzał w niej zazdrość, pokazując się z innymi. Lato w pełni i zapach ziół odurzał, burzyła się też krew jasnowłosej nastolatki o długich nogach, która właśnie posmakowała miłości.

Po paru dniach powściągliwego milczenia, pewnego upalnego i dusznego popołudnia Mikel znalazł się sam na sam z dziewczyną, w trawie cykały świerszcze, sosnowy zagajnik wabił cieniem, a on uderzył wprost do dziewczęcego serca, używając słów na poły stanowczych, na poły przepełnionych żałosną prośbą.

– Dziś w nocy jest pełnia. Punktualnie o północy będę na ciebie czekał przy tylnych drzwiach budynku. Chciałbym, żebyśmy to razem zobaczyli.

– O północy? Śmiało sobie poczynasz – wymruczała dziewczyna z naiwną złośliwością.

– To nic złego. O tej porze latają świetliki i puchacze. Zobaczysz, jak jest pięknie. Tak czy inaczej, będę czekał. Nikt nas nie zobaczy.

– Mikel, ty chyba oszalałeś.

Mikel czekał na nią przyczajony jak wilk w świetle księżyca, jeszcze długo po północy jego oczy szukały wśród cieni sylwetki Any, która miała się pojawić w tylnych drzwiach budynku, łania jednak nie nadeszła. Nazajutrz, w czasie meczu koszykówki, wściekły trener nie zaszczycił jej nawet jednym spojrzeniem. Wilk milczał, choć zauważył smutek Any, ale postanowił ją ukarać. Podniecał się, obserwując jej cierpienie. Chciał, żeby to ona podeszła i przeprosiła go za konieczność spędzenia nocy pod gołym niebem. I dziewczyna uczyniła to, na korytarzu budynku, prawie ze łzami w oczach, kiedy już nie mogła wytrzymać.

– Nie patrz tak na mnie – powiedziała ze smutkiem.

– Jesteś idiotką, wiesz? Czekałem na ciebie jak jakiś głupek – nakrzyczał na nią trener.

– Nie obrażaj się, proszę.

– Dlaczego nie wyszłaś?

– Próbowałam, nie mogłam. Moje koleżanki z pokoju nie chciały zasnąć. Przez całą noc opowiadały sobie różne historie. Pomyślałam, że nie będziesz czekał o trzeciej nad ranem.

– Dziś w nocy czekam na ciebie. Słyszysz? Czekam.

– Proszę, nie krzycz na mnie.

– Będziesz grzeczna?

W jej wieku miała prawo czuć się jednocześnie zakłopotana i uzależniona od tego mężczyzny. Tej nocy, nie wiedząc, która godzina, cicho otworzyła tylne drzwi i wilk dostrzegł w blasku księżyca jasnowłosą dziewczynę, w krótkich spodenkach i białej bluzce, czekającą przy kamiennym ogrodzeniu, aż znad gęstwiny wstanie cień jej ukochanego. Wilk nie kazał na siebie czekać.

Postępowanie nastolatki spowodowane było raczej porywem szaleństwa niż zwykłą ciekawością. Mikel wziął ją za rękę i w milczeniu, rozglądając się dookoła, zaprowadził do jeepa, zostawionego w odległości niewzbudzającej podejrzeń. Ana wsiadła śmiało, choć zaraz zesztywniała na fotelu, czekając, aż Mikel odezwie się czułym słowem, uśmiechnie albo przynajmniej na nią spojrzy. On ruszył automatycznie, nie odwracając nawet głowy w jej stronę i skierował samochód poza teren obozu, w miejsce, które chyba wcześniej zdążył poznać. Roztaczał się stamtąd widok na dolinę pełną świateł, a nad lśniącą krawędzią gór z trudem przebijał się przez korony drzew księżyc w pełni. Serce łomotało w piersi dziewczyny, kiedy Mikel poprosił, żeby wyszła z samochodu i usiadła obok niego na stromym zboczu. Po chwili kłopotliwej ciszy Ana zapytała z udawaną podejrzliwością:

– To ile ich już tu przywiozłeś?

– Nikogo tu wcześniej nie było – odparł stanowczo Mikel.

– Przysięgasz?

– Oczywiście.

– Nieważne. Tak czy inaczej bym przyszła.

– Ufasz mi?

– Chyba tak. Czego chcesz?

– Być z tobą. Niczego więcej.

– Mówiłeś, że masz mi do powiedzenia mnóstwo rzeczy.

Mikel bardzo się denerwował. Zapalił papierosa. Miał łanię tuż przy sobie i niemalże czuł jej pulsującą krew. Zaczął rozmowę o koszykówce. Wyjaśnił kilka zagrań, których powinna się nauczyć, a potem znów zamilkł, wsłuchany w cykanie świerszczy. Kiedy już przyzwyczaili się do ciemności i mogli dojrzeć swoje twarze, on zerwał źdźbło trawy i połaskotał ją w nos. Ana ze śmiechem dała mu lekkiego szturchańca. Połaskotał ją znowu, ale tym razem, kiedy chciała się wywinąć, napotkała ramię trenera, który objął ją i tak przytuloną przytrzymał przez chwilę. Poczuł, jak drży ze strachu, ale powiedział, żeby spojrzała na księżyc, a sam zaczął oplatać wokół palca jej jasne włosy znad karku, próbując skręcić je w loki.

– Jesteś bardzo ładna – wyszeptał jej do ucha.

– Dziękuję.

– Spodobałaś mi się od pierwszego dnia. Nie zorientowałaś się?

– Myślałam, że mnie nie znosisz.

– Nie boisz się być tu ze mną sam na sam, nocą, w odludnym miejscu?

– Nie. No może trochę tak. Mówiłeś, że tu są puchacze i świetliki.

– Nic ci nie zrobię. Bardzo cię kocham. Jestem w tobie zakochany.

– Naprawdę? Skąd wiesz?

– Wiem. Przez cały dzień myślę tylko o tobie. Bardzo mi się podobasz. Pokochasz mnie trochę?

– Jak? Co mam robić?

Dziewczyna słuchała jego słów z poważną miną. Mikel delikatnie pieścił jej szyję, płatek ucha, ramię, włosy opadające na kark, a kiedy poprosił, żeby go pocałowała, zaczęła drżeć jeszcze mocniej i zrobiła to, ledwie muskając ustami jego policzek. Już nieco mniej spięci położyli się na ciemnej trawie. Kiedy dotykał dziewczyny, ona, maskując niepokój, opowiadała o swojej suce, która właśnie miała się oszczenić. Co ma zrobić z małymi pieskami? Chciałaby

74

je rozdać zaufanym przyjaciołom, żeby się nimi dobrze zaopiekowali. Zapytała Mikela, czy nie chce jednego szczeniaka, ale on kazał jej przestać gadać, tylko w milczeniu obserwować gwiazdy. Choć ledwie je było widać zza mglistego blasku pełni, Mikel wskazywał na firmamencie poszczególne gwiazdozbiory. Pełnia miała dobroczynny wpływ na wilka. Okazywał dziewczynie wiele delikatności, a i sam zdawał się spokojniejszy i pełen uroku w mlecznej poświacie. W czasie tej pierwszej nocnej wycieczki, w czasie dwóch razem spędzonych godzin wilk co najwyżej opowiadał jej o gwiazdach, delikatnie pieścił, całował w usta, które dziewczyna mocno zaciskała, kiedy kładł rękę na jej bluzce, wyczuwając stwardniałe piersi i sterczące sutki. Pod koniec nawet przestała drżeć i pewnie ofiarowałaby mu część swojego ciała, gdyby on nalegał, ale chęci i prośby zawisły w wonnym nocnym powietrzu, cykaniu świerszczy i swobodnych krzykach małych zwierząt. Z głębi doliny dobiegała muzyka z potańcówki w którejś z górskich wiosek. Gdzieś daleko ktoś śpiewał bolera i inne piosenki o miłości.

O świcie przywiózł dziewczynę pod tylne drzwi budynku, Ana poprawiła sobie włosy, wysiadła z samochodu, potem namiętnie się pocałowali i umówili na kolejny raz. Koleżanki z pokoju spały, Ana na palcach podeszła do łóżka, położyła się, ale nie zasnęła, czując pod piżamą zapach obcego potu, rozpamiętując miłosne wyznania, które do tej pory mogła jedynie sobie wyobrażać, ale nie słyszeć, już zamienione w gorące tchnienie przy jej policzku, który wciąż ją palił. Po raz pierwszy w życiu pocałował ją mężczyzna. Czuła się dumna, zmieszana i szczęśliwa, podniecona dziwnym smakiem, który utrzymywał się na jej ustach, i tak z otwartymi oczyma doczekała chwili, kiedy pierwsze promienie słońca przedarły się przez zasłony nieba.

O jedenastej rano miał odbyć się mecz koszykówki i Ana drżała z obawy, że wszyscy zauważą radość albo poczucie winy Mikela wywołane nocną przygodą. Siebie samej była pewna. Jako piętnastolatka umiała już dochowywać poważnych sekretów. Nie wymienili ani jednego spojrzenia, ale Ana miała przeczucie, że ta ich udawana obojętność może wzbudzić więcej podejrzeń niż niewinne flirty. Pomyślała, że dobrze byłoby pożartować ze swojego wielbiciela. Powiedziała mu więc, że jest bardzo przystojny i uczyniła to w sposób niemal wyzywający, w obecności koleżanek, ale nie sądziła, że tuż po rozpoczęciu meczu on zacznie na nią krzyczeć w tak ostry sposób. Zza bocznej linii boiska wrzeszczał: debilka, oferma, miernota i tak dalej. Dziwnie rozżalony upokarzał ją, używając wszelkich obraźliwych słów, jakie przyszły mu na myśl.

Targane wątpliwościami młodziutkie serce Any nie podpowiadało jej, co myśleć ani czego się trzymać. Być może w ten sposób mężczyzna pozbywał się wyrzutów sumienia, ale jego wyzwiska sprawiały, że Ana raz miała łzy w oczach, to znów czuła podniecenie. Od czasu gdy przystała na jego propozycję nocnej wycieczki, słowne ataki trenera przybrały na sile i nie ograniczały się do wytykania błędów w grze. Mikel wykorzystywał każdą sposobność, zwłaszcza gdy dziewczynka przebywała w otoczeniu koleżanek, żeby łajać ją słowami pełnymi okrucieństwa, czy to w sosnowym zagajniku, gdzie zbierały się, by pograć na gitarze i pośpiewać, czy na korytarzu, jadalni, czy w sali telewizyjnej. Poddana tej ponurej presji, któregoś ranka, w blasku słońca, Ana przeżyła jakiś rodzaj halucynacji na środku boiska. Zobaczyła zniekształconą twarz Mikela, twarz przerażającej istoty, a jej przywidzenie trwało zaledwie parę sekund. Pomyślała, że może to dlatego, że pot zalewa jej oczy.

Kilka dni po pierwszej nocnej schadzce, widząc Anę miotaną niepokojem, ale jednocześnie całkowicie mu uległą, Mikel znienacka wziął ją na bok i oznajmił:

– Będę na ciebie czekał dziś w nocy.

– Chcesz, żebym to zrobiła? – zapytała potulnie.

– Będę czekał, aż przyjdziesz – stanowczym tonem odparł trener.

– Obiecaj, że nie będziesz mnie już obrażał przy koleżankach.

Mikel zabrał ją swoim jeepem w to samo miejsce i choć księżyc nie był już idealną kulą, to wciąż miał dość blasku, by skąpać ich twarze, kiedy położyli się na zboczu pagórka, na kocu, przyniesionym przez wilka do uprawiania miłości. Księżyc raz jeszcze objawił swój dobroczynny wpływ i trener stał się ujmującym mężczyzną, a jego twarz tchnęła spokojem. Dziewczynka leżała u jego boku, a na niebie widać było tej nocy o wiele więcej gwiazd. Wilk znał nazwy niektórych z nich.

– To Altair, Vega i Deneb, wszystkie trzy tworzą Letni Trójkąt. A to jest Gwiazda Polarna. Ponieważ wszechświat wiruje, tysiące lat temu północ wskazywał Altair, wtedy jednak nie było żeglarzy, szukających nocą drogowskazu na morzu.

– Najładniej nazywa się Syriusz. Gdzie jest ta gwiazda? – zapytała Ana.

– Syriusza teraz nie widać. Pokazuje się tylko zimą i wziął imię od egipskiego boga Ozyrysa. Kiedy pojawiał się na niebie, zapowiadał wylew Nilu.

Potem pokazał jej gwiazdozbiór Kasjopei i Wielkiego Wozu. Prócz nazw konstelacji wilk znał również parę wierszy. Mikel, choć dzięki treningom dorobił się głównie dość prężnych mięśni, był czułym kochankiem i wiedział, jak nieśpiesznie rozebrać smukłą, jasnowłosą dziewczynę

77

w blasku księżycowej poświaty. Najpierw całował ją, aż otworzyły się miękkie usta. Potem powoli rozpinał jej bluzkę i o północy uwolnił nagie piersi, pieścił je przez chwilę, a potem zaczął odkrywać resztę jej ciała.

– Podobasz mi się. Kocham cię – rzekł namiętnym głosem.

– Naprawdę?

– Naprawdę.

– To dlaczego w dzień jesteś dla mnie taki niemiły?

– Jeśli będziesz dla mnie miła, to się już nie powtórzy.

– Obiecujesz?

Mikel wodził dłonią Any po swoim ciele, a ona dała się prowadzić, choć instynkownie wyczuwała, jak dojść do najintymniejszych zakamarków. Po chwili leżeli całkiem nadzy, przed górskim chłodem chroniąc się ciepłem swoich rozpalonych ciał. Pieszcząc go, wspominała to odległe lato, kiedy ze strychu ujrzała morze, a jej przyjaciel Javi wypuścił ze swojego brzucha białą pianę, która upadła na jej skrwawione kolano. Wiedziała, że ten cud zaraz znów się dokona, bo zapowiadały go równie intensywne jęki. Serce biło jej jak oszalałe. Dziś też chciałaby spłynąć krwią. Fala błękitu przeszła przez jej umysł. Mikel jęczał:

– Jeszcze, jeszcze...

– Dobrze to robię?

– Jeszcze...

– Tak?

Poczuła coś mokrego pośrodku dzikiego spazmu wilkołaka, a potem oboje leżeli na plecach, spoglądając w gwiazdy, i kiedy Ana opuszką palca sprawdzała na brodzie ślad po ugryzieniu wilka, on szeptał jej do ucha jakiś wiersz:

Wybacz, że wciąż cię szukam,
tak nieporadnie, w środku

w tobie.
Wybacz mi ból, czasem.*

I znów zaczął ją całować. Ana oddała mu pocałunek i zawołała:
- Zraniłeś mnie.
- Kocham cię. Spójrz na tę gwiazdę - odparł mężczyzna wilk.
- Za mocno mnie ugryzłeś. Zraniłeś mnie. Jesteś nieostrożny.
- Spójrz na tę gwiazdę. Tę obok Gwiazdy Polarnej.
- Jak się nazywa?
- Nie wiem. Ale od tej nocy będzie się nazywać Ana Bron.
- Ana Bron? - zawołała podekscytowana.
- Ta gwiazda będzie zawsze nosić twoje imię. Aż do końca świata.
- Obiecujesz, że gwiazda Ana Bron zawsze będzie dla ciebie świecić? - zapytała Ana Bron.
- Zawsze - odparł Mikel. - Jutro tu przyjdziemy znów ją zobaczyć. Dobrze?
- Dobrze.
- Spójrz, to gwiazdozbiór Skorpiona - wilk objaśniał dziewczynce algebrę nieba. - A tam jest gwiazda Antares, widzisz?, tam jest Lira, a to Łabędź i za niedługo, kiedy nadejdzie jesień, pojawi się Andromeda w otoczeniu mgławicy, która jest galaktyką z tysiącami milionów gwiazd. Aż do końca świata będzie w dobrym towarzystwie, o tysiące lat świetlnych, ale zawsze u mojego boku.
- Chcę poszukać gwiazdy dla ciebie - zawołała Ana.
- Ja też lubię poezję. Dlatego znajdę ci gwiazdę morza. Wiesz co? Kiedy byłam małym dzieckiem, któregoś dnia

---

* Pedro Salinas, *Perdóname por ir así buscándote*, tłum. Maria Filipowicz-Rudek.

ze spichlerza u moich dziadków zobaczyłam morze, chociaż wioskę dzieliło od niego wiele gór i pagórków.
– Naprawdę? – zawołał Mikel.
– Mogę zobaczyć morze, kiedy zechcę. Ale musisz mnie bardzo kochać, żebyśmy je razem zobaczyli. W morzu również jest wiele gwiazd. Kiedy nauczę się muzyki, napiszę dla ciebie piosenkę.

W księżycowe noce Mikel okazywał dziewczynie wiele czułości, ale kiedy spotykał się z nią w blasku słońca, gdzieś na terenie obozu, stawał się zupełnie innym człowiekiem, przepełnionym agresją, targanym skrywaną namiętnością, a to zachowanie doprowadzało ją niemal do szaleństwa, zwłaszcza po ostatniej nocy, już pod koniec wakacji, kiedy oddała mu swe ciało i on posiadł ją całkowicie. Nie marzyła, że akt, na który czekała z obawą, okaże się tak wielką rozkoszą.

Kiedy dotarli na wzgórze, Ana wiedziała już, że tym razem pragnie doprowadzić swą nocną miłość do końca. Kochankowie szukali na niebie gwiazdy noszącej imię Any Bron i kiedy dziewczyna się jej przyglądała, Mikel rozbierał ją przy wtórze czułych słów. Naraz usłyszeli szmer gdzieś z bardzo bliska. Wśród zarośli dostrzegli poruszające się cienie. Przestraszyli się. Nic nie widzieli, ale słyszeli coraz bliższy odgłos kroków. Trwali w milczeniu, objęci, wstrzymując oddech. W przypływie odwagi, pragnąc uchronić dziewczynę, Mikel rzucił się nagle, nagi, w stronę jeepa, uruchomił silnik i włączył reflektory. Snop światła wydobył z ciemności nagą postać na trawie i oślepił stojącą obok parę młodych jeleni z małym – cała trójka znieruchomiała i przyglądała się ciekawie gołej jasnowłosej nastolatce. Zwierzęta nie bały się i nie dały się spłoszyć, choć Mikel usiłował je wystraszyć. Wciąż stały czujne i zazdrosne, kiedy Mikel zgasił światła jeepa. Kochankowie wrócili do miłosnej gry, świadomi, że obserwuje ich rodzina jeleni. Mikel położył rękę na jej udzie i przesunął ją do góry.

– Nie powinniśmy tego robić, Mikel – prosiła Ana, choć nie chciała się wycofać.

– Proszę. Zróbmy.

– To mnie boli. Bardzo boli. Mikel, co ty mi robisz?

– Jelenie na nas patrzą.

Być może obecność jeleni sprawiła, że Ana poczuła większe podniecenie i kiedy wilgotny oddech łani otulił jej ciało, zapragnęła, by nocne spojrzenie zwierząt towarzyszyło jej w akcie oddania, te zaś nie przestraszyły się krzyków rozkoszy i bólu, chociaż ludzkie jęki kazały zamilknąć świerszczom. Wreszcie kochankowie w otaczających ich ciemnościach słyszeli jedynie swoje wzburzone oddechy i bicie jelenich serc, a letnia zabawa z głębi doliny przesyłała im teraz miłosną piosenkę.

Nazajutrz Ana Bron, oślepiona słońcem, doświadczyła potwornej wizji, z której nie potrafiła się otrząsnąć przez parę lat. To był ostatni dzień obozu i świeżo zaprzyjaźnione dziewczęta wymieniały się telefonami i adresami, obiecując sobie spotkanie w mieście. Tę samą obietnicę złożyli kochankowie ze zbocza, zanim przed południem rozegrano finał turnieju koszykówki. W czasie meczu Ana nie potrafiła się skupić, bo w wyobraźni rozbrzmiewały wszystkie pełne pożądania słowa, czułym szeptem wypowiadane przez trenera w letnie noce, choć ich namiętność pozostała dla wszystkich tajemnicą. Mikel stał w rogu boiska i znów obrzucał ją upokarzającymi wyzwiskami. To, co zaszło, było zapewne efektem słońca świecącego prosto w oczy. Zdarzało się to już wcześniej, na boisku albo kiedy spotykała się z Mikelem w cieniu sosnowego zagajnika. Zawsze nazajutrz po nocnej eskapadzie. Zdawało się jej, że ulega halucynacjom wywołanym poczuciem winy i nie przywiązywała do tego wagi, lecz tym razem uznała, że opętał ją diabeł, tak wyrazista, trwała i upiorna była wizja w ostatni dzień obozu. Zamarła z piłką w dłoniach, bo nagle zobaczyła, jak nagi Mikel obrasta czarną, gęstą sierścią, niczym szczeciną, a jego twarz zwęża się i wydłuża, aż staje się paszczą wilka, z której sterczą zakrwawione kły, sięgające brody. Spod niskiego czoła i nastroszonych brwi świeciły czerwone ślepia. Stał, a z jego owłosionego brzucha wyrastał wielki członek, wznoszący się aż do piersi.

Jego krzyki nabrały teraz gardłowego, głębokiego brzmienia i niczym nie różniły się od wycia wilków w zimowe noce przy pełni księżyca, dokładnie jak w horrorach, ale słowa słychać było wyraźnie. Krzyczał, jak bardzo ją kocha, jak bardzo mu się podoba, jak bardzo jej pragnie. Wcale jej nie obrażał, wręcz konał z miłości, obnażając drżący członek. Koleżanki z drużyny osłupiały, kiedy Ana rzuciła piłkę i nagle pobiegła przestraszona w kierunku bramy obozu.

To był ostatni dzień wakacji i tego lata już jej nie zobaczyły. Ktoś z rodziny przyjechał po jej rzeczy następnego dnia. Kiedy po dość długim czasie Ana wspominała tamten sierpień w górach, wierzyła mocno, że to mężczyzna wilk nauczył ją rozpoznawać gwiazdy, a jedną z nich nazwał jej imieniem. Wiedziała, gdzie ona się znajduje. Każdej nocy potrafiła ją odnaleźć wśród nieskończonej liczby gwiazd na niebie. Była tuż obok Gwiazdy Polarnej. Temu wrażeniu piękna i spokoju w blasku księżyca zawsze towarzyszyły lśniące w słońcu ociekające krwią zęby, po których pozostał jej ślad na brodzie.

... księżyc w pełni zajrzał do komórki, a potem wyfrunął z niej spłoszony gołąb...

Na początku David pokochał Glorię dla jej delikatnej urody, dziewczęcej prostoty, jeszcze nieuformowanego wnętrza, które niczym dziewiczą glinę pragnął ulepić na swój obraz i podobieństwo, by stało się dziełem małego boga, elitarnego garncarza. Tak przedstawiały się wyobrażenia postępowego wielbiciela Ortegi y Gasseta, członka wybranej mniejszości. Byli parę miesięcy po ślubie i przez ten czas, wzajemnie się do siebie dopasowując, nie mieli żadnych problemów, wspólne życie przebiegało bez niespodzianek, każda z kwestii błyskotliwego trzydziestopięcioletniego profesora, wygłaszana tonem intelektualnej wyższości, spotykała się z aprobatą Glorii. Wszystko się równoważyło: kiedy on rozwodził się nad książkami, ona pielęgnowała ich pierwsze maleństwo w brzuchu, co więcej, stawiała przed nim wszelkie możliwe ciasta i nie zadawała żadnych pytań.

Kobieta, którą wybrałeś, świadczy o tobie. David był próżny do tego stopnia, że zwłaszcza w towarzystwie kolegów pragnął czuć się dumnym ze swej żony, zaczął więc wpływać na jej opinie i zachowania, aż niepostrzeżenie wykształcił je na nowo. Poradził jej, aby nigdy nie podejmowała kwestii, o których sama nie potrafiłaby powiedzieć więcej niż dwa zdania, choć nawet gdyby orientowała się w temacie dyskusji prowadzonej na dość wysokim poziomie, zalecił jedynie milczące uczestnictwo w rozmowach i delikatny uśmiech, który równie dobrze wyraża zgodę jak i dezaprobatę, a nie ujawnia myśli. Dzięki temu miał pewność, że gdziekolwiek przedstawi Glorię, ona stanie się tą najbardziej atrakcyjną, najsympatyczniejszą, tą, która przyciągnie najwięcej spojrzeń i zbierze najwięcej komplementów od jego przyjaciół. Miłość do żony potęgowała jego samozadowolenie. Ona słuchała go we wszystkim, nie stwarzała problemów, pragnąc jedynie szczęśliwie ślizgać się na powierzchni życia.

Przez pierwsze lata małżeństwa David dochowywał wierności, ale w miarę jak umacniał swą pozycję statecznego męża, opartą na drobnych i ciągłych ustępstwach, w jego wyobraźni zaczęły coraz mocniej odżywać zjawy z przeszłości i wkrótce stały się one sekretną ucieczką duszy podczas mrocznych nocy, które niebawem nastały. Próbując zaakceptować samego siebie, zastanawiał się, kim byłby, gdyby żył razem z jedną z tych kobiet, przez które przeszła jego dusza. Każdą czynił swym przeznaczeniem. Wszystkie tworzyły rzekę, którą dopływał w zaskakujące miejsca, gdzie stawał się innym mężczyzną, czasem odważniejszym, szlachetniejszym, bardziej nieszczęśliwym albo bardziej radosnym, o tym decydowałby już los, i ta myśl przejmowała go dreszczem.

Wtedy David potrafił jeszcze przeboleć dawne roztrwonione miłości. Podczas nocnych ucieczek w fantazję wspominał uroczą pensjonarkę z Loreto z czasów swojej młodości, o imieniu Laura; młodą Niemkę, Evę Matews, o skórze z różowymi piegami; lato nad morzem i mieszkającą w willi obok pewną mężatkę, której imienia zapomniał. Bawił się w pamięci wszystkimi ciałami, w które kiedyś wtargnął, szczególnie mocno utkwiło mu w pamięci ciało służącej w bursie, cudownej istoty, którą udało mu się uwieść i której miłość na zawsze już miał nosić w myślach. Spotykał się z nią w komórce i trzymał ją w ramionach również tamtej nocy przed ślubem z Glorią. Gdy wizerunki pięknych dziewcząt, jego ukochanych, pojawiały się w mrokach bezsenności i zatruwały mu serce, raz próbował je przegnać, przekląć, to znów chronił się w nich jak w spokojnej zatoce po przebytym sztormie. Bronił się, mówiąc sobie: to nic, przecież Gloria jest bardzo piękną kobietą, oddaną i dobrą. Mógłby napisać gruby traktat o historii poezji miłosnej, by użyć tej teorii w praktyce, czyniąc z prostego serca Glorii dzieło sztuki, chlubę estety.

David poznał żonę przez zapalniczkę, którą zostawił w kawiarni. Życie utkane jest z takich przypadkowych zdarzeń. Kiedy wrócił po zgubę, przy barze spotkał dawnego kolegę ze szkoły, niewidzianego od lat. Ten właśnie wszedł do kawiarni na spotkanie z dziewczyną, a ta przypadkiem zjawiła się w towarzystwie przyjaciółki o imieniu Gloria. Gdy zapalał jej papierosa, ona przytrzymała jego dłoń i te trzy sekundy stały się wiecznością, w której się odnaleźli. Rodzice Glorii mieli wiejski dom w La Vera. Wraz z paroma przyjaciółmi umówili się, że spędzą tam razem weekend, a potem pojadą do Portugalii, zwiedzą Lizbonę, która właśnie upijała się szczęściem rewolucji goździków, i zahaczą o Caldas da Rainha, żeby kupić coś z ludowej ceramiki, tak lubianej przez Davida. Podróż przepełniona szczęściem, żółte topole, żytni chleb w przydrożnych gospodach, chłodna woda w potokach, uliczki Alfamy pachnące zamorskimi przyprawami, wszystkie te wrażenia umacniały ich miłość.

Wiejska posiadłość w La Vera, w dolinie rzeki Tiétar, słynęła z koni, wokół rosły zimozielone dęby, a czereśniowe sady otaczały szlachecki dom, w którym profesor David Soria spędzał po ślubie pierwsze letnie wakacje w towarzystwie teściów i szwagierek. Wszedł w rodzinę z tradycjami. Ojciec Glorii był chirurgiem. Matka urodziła siedmioro dzieci i wszystkie te latorośle obdarzyły ją wnukami, które teraz krzyczały w każdym zakątku ogrodu, na huśtawkach, w indiańskim szałasie zbudowanym w dębowym zagajniku. Dla Davida był to czas spełnienia, ukoronowany narodzinami córeczki, Palomy, jasnowłosej dziewczynki z modrymi oczkami. Tamtego lata dostąpił pełni szczęścia wśród książek i leżaków porozstawianych dookoła basenu, teraz przywodzącego mu na myśl wrota piekeł.

W bezsenne noce zastanawiał się, co tak naprawdę odsunęło go od Glorii, oczywiście poza tragedią, którą przeżyli. Ten brak porozumienia powstał wewnątrz ustalonych reguł. Pewnego dnia David zdał sobie sprawę, że te same słowa nie mają dla nich tego samego znaczenia. Miał takie wrażenie nie tylko przy pierwszych sprzeczkach. Potem nastały ciche dni. Czasem przerywali to milczenie na sofie, wypowiadając nagle i jednocześnie identyczne zdanie, jakby ich umysł ożywił ten sam elektryczny impuls. Na początku ta telepatia ich dziwiła, nawet rozśmieszała, ale potem zaczęła przerażać Davida. A przecież zdarza się to wszystkim małżeństwom po latach wspólnego życia. To nic poważnego, uspokajał się. To efekt zbratania się ciał.

Powoli zaczęli rozwijać się każde w innym kierunku, rozmijali się w upodobaniach, inaczej oceniali różne sprawy; uczucia, wrażenia, zamiłowania stały się wyraźnie odmienne, a oni bronili ich niczym twierdzy. Jednocześnie ich ciała upodobniły się do domowych sprzętów i w rzeczywistości David nie istniał już bez starego fotela z oparciami, a sylwetka Glorii nie mogła uwolnić się od lampy albo konsoli. Wizerunki mebli wtopiły się w ich postacie i domowa przestrzeń pomieszała się z powtarzanymi zdaniami, zapach pokojów stawał się intensywniejszy pod ich spojrzeniami, a lustra odbijały ich zniszczone twarze. Minęło parę lat. Czas przemielił dusze małżonków i mógł zmienić miłość w delikatną miłosną przyjaźń, gdyby nie powstało między nimi to wielkie poczucie winy, ten ból nie do zniesienia.

Tragedia rozegrała się w piątym roku szczęścia. Tamtego wrześniowego popołudnia byli sami w ogrodzie obok domu w La Vera. Nie dochodziły krzyki innych dzieci. Wakacje się skończyły, bracia z żonami wrócili do Madrytu, do pracy. Gloria zaklinała się, że poprosiła Davida, by zaopiekował się córką, kiedy ona będzie myć włosy. David przysięgał, że krzyknął do niej z salonu, żeby zajęła się córką, bo on idzie na spacer nad rzekę. Pół godziny później, kiedy Gloria wyszła z łazienki, poczuła, jak cisza z ogrodu ukłuła ją w sam środek serca. Pies szczekał rozpaczliwie. Zawołała Davida. Nikt nie odpowiedział. Zawołała Palomę. Również nikt nie odpowiedział, ale usłyszawszy imię dziewczynki, pies rozszczekał się jeszcze bardziej żałośnie i zaczął prowadzić Glorię, biegnąc w tę i z powrotem w stronę basenu, a ona, zanim dowiedziała się, co się stało, zaczęła krzyczeć i drapać się po twarzy.

Paloma unosiła się w basenie na brzuchu z rozłożonymi rękoma, ubrana w spódniczkę w kwiaty i czerwone sandałki i była doskonale widoczna jakieś pół metra pod powierzchnią szmaragdowej wody. Kiedy David wrócił ze spaceru, zobaczył Glorię z błędnym wzrokiem w bujanym fotelu na ganku. Kołysała w ramionach martwą Palomę w ociekającym wodą ubranku. Śpiewała jej kołysankę, tę samą, którą kiedy Gloria była dzieckiem, śpiewała do snu jej matka. Nie podniosła nawet oczu na skamieniałego Davida.

Poczucie winy zabija. Miotana żałością i nienawiścią, Gloria zaczęła obwiniać się o nieszczęście i wydawało się, że chce zagarnąć cały ból dla siebie. Od tamtego lata ich kłótniom towarzyszyło zawsze przynajmniej jedno słowo wzajemnego wyrzutu o tamto fatalne popołudnie. Podczas gdy Gloria codziennie wspominała zmarłą córkę, co niedziela nosiła kwiaty na jej grób i wzniosła ołtarzyk z jej zdjęciem na komodzie w sypialni, David pragnął jedynie przeżyć. Dziewczynka wiązała ich przez długie lata, aż jej śmierć, już otorbiona, powoli zamieniała ich w nieznajomych, również z nich czyniąc umarłych. David próbował uciec z labiryntu bólu, jeżdżąc w naukowe podróże, szukając kolejnych miłosnych przygód, wspominając wszystkie dawne romanse, zgłębiając świat poezji, pełen pierwotnych odczuć, przesiąknięty duchem Rimbaud.

W błękitne zmierzchy letnie pójdę miedzą polną
Skroś traw i ziół, muskany przez dojrzałe żyto...
Śniąc, będę czuł pod stopą świeżość ros podolną,
Pozwolę wiatrom kąpać mą głowę odkrytą.

Nie będę tedy mówił, ani myślał wcale
Lecz nieskończona miłość w serce moje spłynie...
I będę szedł, jak Cygan – w coraz dalsze dale
W przyrodzie, jak z kobietą, szczęsny w tej godzinie.[*]

Tamta służąca, jeszcze dziewczyna, miała na imię Clara, sprzątała pokoje w akademiku i w czarnym mundurku z białym kołnierzykiem i mankietami, w wykrochmalonym czepku roznosiła posiłki studentom w jadalni.

---

[*] Jean Arthur Rimbaud, *Wrażenie*, przeł. Bronisława Ostrowska, w: Jean Arthur Rimbaud, *Poezje wybrane*, oprac. Adam Ważyk, Warszawa 1949.

Pochodziła ze wsi w prowincji Guadalajara, była jeszcze tak delikatna i niedojrzała, że zadziwiała urodą, miała czarne oczy antylopy, pokryte wilgotną mgiełką. Już pierwszego dnia okazała mu szczególne względy. To do niego pierwszego podeszła z parującą wazą, gdy usługiwała przy obiedzie, choć nie on był najważniejszym z profesorów. Delikatne muśnięcie ręką przy zbieraniu talerzy, zatrzymane spojrzenie, ów namiętny i tajemniczy język ciała, którego używa kobieta, by wyrazić swą uległość, swoisty kod uwodzenia ćwiczyła na Davidzie tamta piękna służąca, śledzona pożądliwymi spojrzeniami studentów wszędzie, gdzie się pojawiała, na korytarzach, w pokojach i między stołami w jadalni. Clara była jednak nieśmiała i darzyła Davida nieuleczalnym szacunkiem. W końcu należał do innej warstwy społecznej, był paniczem, jak większość studentów, oraz asystentem, a do tego przystojnym trzydziestolatkiem.

W bezsenne noce David wspominał ich pierwsze spotkanie: któregoś ranka Clara weszła, żeby posprzątać pokój, podczas gdy inne służące, podśpiewując, zmywały podłogę na korytarzu. Clara wkroczyła w różowym uniformie i białym fartuszku, z wiadrem, płynem do mycia, świeżą pościelą i ręcznikami, sama pachnąca mydłem. David został w pokoju, kiedy ona zaczęła sprzątać łazienkę. Czytał właśnie wiersze Fray Luisa de León, zamieszczone w rozprawie o mistykach hiszpańskich. Od czasu do czasu unosił wzrok i spoglądał na niezaścielone łóżko. Kiedy Clara spuszczała wodę i słychać było odgłosy kranu przy umywalce, David recytował początek wiersza tak głośno, by dziewczyna wyraźnie go usłyszała:

I zostawiasz, o Chryste
Swą trzodę we łzach, gdzie mroczne otchłanie,
Tęsknoty wiekuiste;

Przebiwszy niebo, Panie,
Odchodzisz w nieśmiertelne spoczywanie?*

Strofy Fray Luisa de León przebijały się przez szum
spłuczki.
– Podoba ci się to, Claro? – zapytał profesor.
– Tak – odparła z łazienki.
– A rozumiesz coś z tego?
– Nie.
Clara wyszła z łazienki, uśmiechając się nieśmiało, i podeszła zaścielić łóżko. Potem miała jeszcze zmyć podłogę, ale David nie wyszedł do czytelni, jak zwykł to czynić.
Został w pokoju, gotów przypuścić atak na dziewczynę.
Kiedy Clara trzepała materac, zmieniała pościel, układała
poduszkę i wygładzała narzutę, profesor dalej głośno czytał. Nie przerywała pracy, a i tak cały pokój napełnił się
niebiańską melodią Fray Luisa de León, tym razem pły-
nącą z ust młodego profesora, który stał z rękoma w kieszeniach, szukając wzrokiem oczu dziewczyny.

Kiedy zapatrzę się w nieboskłon
niezliczonymi światły ozdobiony,
a potem wzrok na ziemski padół skłonię,
w mrok nocy szczelnie otulony
w sen i niepamięć zanurzony,
miłość i ból
w mej piersi budzą żarliwe pragnienie.**

---

* Fray Luis de León *Na Wniebowstąpienie*, przeł. Małgorzata Zięba, „Literatura
na Świecie" 5/1980.
** Fray Luis de León *Noc pogodna*, przeł. Janusz Strasburger w: *Antologia poezji
hiszpańskiej*, Warszawa 2000.

Kiedy dłonią wygładzała ostatnie załamania narzuty, odwróciła głowę i spojrzała na niego w naiwnym zachwycie.

– Ten wiersz bardziej mi się spodobał. Cały zrozumiałam. To pan go napisał?

– Tak – skłamał David, schlebiając swej próżności.

– Ale szczęśliwa będzie kobieta, która z panem zamieszka, słuchając takich ślicznych wierszy.

Znów usiadł przy stole, obserwując każdy gest dziewczyny, a Clara po wysprzątaniu pokoju przeszła z naręczem brudnej pościeli i wiadrem z wodą bardzo blisko profesora, dając mu odczuć obecność jej ciała. Wiedziała, że śledzi ją wzrokiem, kiedy podążała w stronę drzwi, i zanim je za sobą zamknęła, odwróciła się, David puścił do niej oko, Clara się uśmiechnęła, profesor skinieniem głowy poprosił, by jeszcze raz weszła do pokoju, ona go posłuchała, podeszła do stołu i stanęła wyczekująco.

– Pocałuj mnie – poprosił.

– Nie – wyszeptała, odstawiając wiadro na podłogę.

– Tylko raz – nalegał profesor, przytrzymując jej rękę.

Ich usta zetknęły się delikatnie, poczuł prosty, cierpki smak. A potem Clara uciekła. Od tamtego dnia David czekał na nią zawsze, żeby czytać jej wiersze, kiedy ona sprzątała pokój. Przybywało ulotnych pocałunków, skradzionych po cichu na korytarzu, i służąca stała się codzienną przygodą, owiniętą siecią spojrzeń i uśmiechów. Pole dla miłości rozkwitającej między śliczną dziewczyną i profesorem było ograniczone. W całym akademiku istniało tylko jedno miejsce, nadające się na nocne schadzki. Clara i reszta służących spały w pokoju za kuchnią, ale w głębi dziedzińca znajdowała się komórka, gdzie trzymano wszystkie środki czystości, stare meble, narzędzia ogrodnicze i różne niepotrzebne rupiecie. Tam umówili się na pierwszą randkę, tuż po północy, w chłodną styczniową noc.

Asystent przy katedrze historii literatury, kandydat na stanowisko samodzielnego profesora w najbliższym konkursie, zszedł ukradkiem, po ciemku, z drugiego piętra bursy i ostrożnie otwierał kolejne drzwi, aż dotarł do jadalni i przeszedłszy kuchnię, znalazł się na małym podwórku pełnym sznurków do wieszania bielizny pod zimowym niebem błyszczącym gwiazdami. Musiał macać po ciemku ścianę w głębi, żeby znaleźć uchylone drzwi, za którymi czekała z drżącym sercem Clara, przycupnięta wśród zepsutych sprzętów, dygocząc jak przestraszone zwierzątko. Nie zapaliła światła, kiedy dostrzegła cień Davida, ale wymówiła jego imię i prowadziła go szeptem, aż znalazł ją w kącie.

– Tutaj, tutaj. Proszę uważać, niech pan nie zrobi sobie krzywdy.

Wreszcie ich ciała spotkały się i profesor zaczął pieścić dziewczynę z ostrożnością dyktowaną strachem. Dla Clary był to pierwszy długi pocałunek. Nie wiedziała, jak odpowiedzieć na pieszczoty mężczyzny. Pozwalała się obejmować, wciąż napięta, ale pomimo panujących ciemności David wyczuwał w środku powoli rozpalający się ogień, który miał pomóc zapomnieć o lodowatym chłodzie panującym w komórce.

– Musimy się nawzajem ogrzać – zażartował David, drżąc bardziej z emocji niż z zimna.

– Niech pan powie ten wiersz, który tak lubię.

– Teraz?

– Tak.

David poprosił, żeby mówiła mu na ty i bardzo mocno ją do siebie przytulił, poczuł jej bijące serce i przypomniał sobie, jak będąc dzieckiem, łapał ptaszka i uwięzionego trzymał w dłoni. Szeptał do ucha Clary, rozpinając jej szlafrok:

94

Kiedy zapatrzę się w nieboskłon
niezliczonymi światły ozdobiony...*

Kiedy skończył, Clara miała piersi uwolnione ze zgrzeb-
nego stanika i David czule je masował, kołysał nimi w dłoniach, całował twarde sutki. Podobnie jak jej usta, piersi
miały smak cierpkiego owocu. Powiedział jej to, a Clara
wyszeptała w odpowiedzi:
– Podobają się panu?
– Tak.
– Dziękuję – odparła.
David poprosił jeszcze raz, żeby mówiła mu na ty, ale
dziewczyna nie potrafiła. Poza tym była bardzo posłusz-
na i zrobiła wszystko, o co profesor poprosił tej pierwszej
nocy. Potem spotkali się jeszcze kilka razy, nie zawsze
wcześniej się umawiając. W tym czasie David spotykał się
już z Glorią, każdego popołudnia chodził z nią na spotkania i wracał do bursy po północy. Clara czekała na niego
w kuchni, po ciemku, śpiąc z głową na stole, ciągle w swoim fartuszku. David wchodził, budził ją, ona się uśmiechała, przecierała oczy, przeciągała się na stojąco, trzymając
się pod boki, bez słowa prowadziła go do komórki i tam,
w oparach proszków i płynów, pozwalała mu się kochać.
David nie miał wrażenia, że wykorzystuje dziewczynę,
choć ona poszłaby za nim wszędzie, gdzie zechciałby ją
zabrać. Nigdy nie spotkał czystszej istoty. Profesor wzno-
sił się na wyżyny Fray Luisa de León, przebywał wielkie
powietrzne przestrzenie, aż w najwyższej sferze słyszał
ową niebiańską muzykę, pierwszą wśród wszystkich, jak
pisał w odzie poeta, a jednocześnie każdej nocy schodził
do komórki przy dziedzińcu i tam znajdował najbardziej

---

* Ibidem.

oddaną niewinność. Niczego od niego nie wymagała. Clara wiedziała, że nigdy nie będzie miała tego mężczyzny. Była świadoma swojej pozycji, zatem w jadalni czy w pokojach studentów przyjmowała los służącej, ale w komórce przez chwilę czuła się wolna, bo jej wyobraźnia unosiła ją w ramionach kochanka. Żadnemu z ich dwojga nie przyszło na myśl, że kiedyś mogliby razem dzielić życie. Ona była zwykłą służącą, która dopiero co przyjechała ze wsi, a on profesorem, jaśniepaniczem, właśnie przybyłym z Heidelbergu, gdzie pisał doktorat. Clara nigdy go o nic nie pytała, o nic nie oskarżała, nie prosiła o więcej miłości ani nawet o odrobinę wdzięczności za oddanie mu nie tylko swego ciała, ale i duszy.

Ten zapieczętowany romans nigdy nie wyszedł na jaw. Trwał kilka miesięcy, aż do ślubu Davida. Przez wiele lat wspominał pożegnanie z Clarą, tego samego dnia, kiedy jako młody profesor odziany w surdut opuszczał bursę, by wziąć ślub w kościele przy zakonie św. Hieronima. Poprzedniej nocy spotkali się w komórce i oboje mieli pewność, że już nigdy się nie zobaczą. Panował czerwcowy upał. Przez jedno z okien wpadał blask księżyca, oświetlając leżące w nieładzie zniszczone sprzęty i tworząc na ścianie teatr cieni z miłosnych gestów kochanków. Każda pieszczota dawała inny obraz. Kochali się w ciszy, gwałtowniej niż kiedykolwiek, na cementowej podłodze i już pod sam koniec miłosnego aktu ona przewróciła wiadro, a ten hałas zbudził śpiącego na parapecie ptaka, który wyleciał przez okno.

– To gołąb – powiedziała Clara.

– Na pewno gołąb? – dopytywał się David. – Może nas ktoś śledzi?

– To był gołąb. Nie bój się. Pocałuj mnie. Ostatni raz. Gołąb odleciał. Jutro tu wróci, ale ty nie, Davidzie. Pocałuj mnie ostatni raz – szeptała dziewczyna pierwszy raz z delikatnie wyczuwalną w głosie tęskną skargą.

– Kiedyś się spotkamy – David chciał ją pocieszyć.

– Mam dla ciebie prezent, żebyś o mnie nie zapomniał. Proszę. To kamyczek. Teraz go nie zobaczysz, ale to lapis--lazuli. Należał do mojej matki.

– A niech to, ja ci nic nie przyniosłem. Przepraszam. Jestem beznadziejny – sumitował się David.

– Nieważne – odparła dziewczyna.

Nazajutrz w pokoju Davida przebywało paru krewnych i przyjaciół ze szkoły, podczas gdy on sam się ubierał. O tej godzinie służące zmywały podłogi i sprzątały w pokojach. Clara była na innym piętrze z wiadrem pełnym wody i ścierką w ręce, kiedy weselny orszak szedł po schodach. Otoczony grupą przyjaciół, w surducie, David poszukał wzrokiem dziewczyny, żeby pożegnać się z nią mrugnięciem czy uśmiechem, ale nie znalazł jej wśród innych służących, które usunęły się na bok, robiąc przejście orszakowi. Słysząc głośne śmiechy, Clara pobiegła na półpiętro, ale nie udało się jej zobaczyć Davida, a jedynie jego plecy znikające na schodach. Zbiegła pędem, i kiedy stanęła przy drzwiach, prawie bez tchu, jej kochanek wsiadł właśnie do mercedesa, a dziewczyna zobaczyła, jak odjeżdża. Nie mogła powiedzieć żegnaj.

Na korytarzu drugiego piętra zapadła cisza. Clara weszła do pustego już pokoju Davida, gdzie stały dwie zamknięte walizki i parę gotowych do wzięcia pakunków. Dziewczyna poczuła zapach swojego sekretnego kochanka i z zaciśniętymi powiekami wdychała wonie łazienki, stołu, łóżka, wszystkich kątów. Opróżniła kosz i zanim wyrzuciła jego zawartość, rozprostowała parę pomiętych kartek. Skoro David nie dał jej żadnego prezentu, zatrzyma sobie na pamiątkę podartą kartkę, na której profesor nagryzmolił początek jakiegoś wiersza, teraz przedartego na połowę: *Kiedy zapatrzę się w nieboskłon niezliczonymi światły ozdobiony...* Te słowa Fray Luisa de León coś jej przypominały. Schowała kartkę do kieszeni, usiadła na walizce i z oczu popłynęły jej łzy.

Dokładnie w tej chwili pod kościół św. Hieronima, innym mercedesem, całym w girlandach z lilii i w białych wstążkach, podjechała Gloria, by uroczyście, przy dźwiękach organów i w oparach potu zmieszanych z zapachem perfum ponad trzystu zaproszonych gości przejść u boku ojca główną nawą do ołtarza. Kościelne ławy zostały podzielone między członków rodzin państwa młodych. Gloria miała za sobą ludzi z wyższej klasy, przyjaciół ze studiów, sławnych pacjentów znanego chirurga, kobiety w sukniach z lśniącego jedwabiu, w delikatnej biżuterii z cennymi kamieniami; natomiast gości Davida było niewielu, rekrutowali się spośród nauczycieli, urzędników państwowych, mieli wygląd prowincjuszy, choć było po nich widać, że ich przodkowie kąpali się częściej niż raz na rok.

Gdyby Gloria była niezbyt atrakcyjną kobietą, ktoś mógłby pomyśleć, że David żeni się dla pieniędzy, jednak panna młoda, u stóp ołtarza, promieniała nieskazitelną urodą. Dlatego po uroczystości niektórzy koledzy z uniwersytetu gratulowali niemal z zazdrością, ale na wszystkich twarzach, zarówno w kościele jak i w hotelu Ritz, gdzie zorganizowano przyjęcie, malowała się szczera radość. Noc poślubną spędzili w apartamencie tego samego hotelu, zanim udali się w podróż na Karaiby i do Nowego Jorku. Gloria trzykrotnie zmieniała koszulę nocną, pierwsza była z jedwabiu, druga z cieniutkiej bawełny, trzecia z samego ciała. I tą w końcu splamiła krew. David chciał się okazać doświadczonym kochankiem, co niezbyt mu wyszło.

– Na Karaibach będzie lepiej – oświadczył.

Z podróży poślubnej Gloria wróciła już w ciąży. Wypiękniała jeszcze bardziej z małą istotką w brzuchu i to ku niej zaczęły płynąć wszystkie rzeki miłości, do których wkroczył w swoim życiu David. Kiedy urodziła się im córka, David chciał ją napełnić miłością, jaką odczuwał wobec Clary, więc zapragnął ochrzcić ją imieniem Paloma, na pamiątkę duszy, która wyfrunęła z ciemnej komórki. W ich ostatnią noc miłości Clara powiedziała, że gołąb wróci. David starał się zakląć całą swą namiętność w melodię, tak by gołąb wiedział, gdzie wrócić. Pragnął skrycie, żeby usiadł na nowym ciele, które teraz nosiło imię Gloria.

... jeśli kochankowie idą przez góry, przekraczają doliny, dalekie wyspy, szumiące rzeki i słyszą, jak ktoś nuci miłosną piosenkę, nadejdzie moment, gdy ich ciała odzieją się tylko w nagość pod drzewem granatu...

Ana i David wyruszyli na pierwszy wspólny rekonesans w góry, na wycieczkę w poszukiwaniu źródeł rzeki, której nazwy nie znali. Dojrzewały granaty. Zostawili samochód na placyku w jakiejś górskiej wiosce i poszli pieszo ścieżką, która czasami gubiła się w dzikim lesie, mokrym jeszcze po niedawnych jesiennych deszczach. Słońce odbijało się w skąpanych wodą liściach i lśniło nawet na świeżo umytych pancerzykach owadów. Przyroda miała tak niezwykłą moc, że idąc wśród niej, nie można było nie mówić prawdy.

Tuż obok ścieżki rosły gęste krzewy dojrzałych jeżyn. Zerwali i zjedli parę. Szli, rozmawiając o małych, drobnych sprawach, nierozerwalnie związanych z życiem, o przyjemności wylegiwania się w łóżku w niedzielne poranki, o soku z pomarańczy, który ona lubiła pić zaraz po przebudzeniu; o wielkich pajdach żytniego chleba posmarowanych świeżo tłoczoną oliwą, które kiedyś zjedzą na śniadanie w jakimś domu w Toskanii, w otoczeniu winnic i cyprysów; o zapachu gazety zmieszanym z aromatem kawy; o pięknie bukowych i dębowych liści w kolorze złota lub miedzi, które szeleściły pod ich turystycznymi butami, o ulubionych muzykach jazzowych, o wilgoci osiadającej na ich twarzach i o wspomnieniach. Zaczęli splatać swoje dusze z pomocą tych zmysłowych doświadczeń i cały czas podążali ścieżką, biegnącą krawędzią przepaści.

W dole znajdowało się koryto rzeki, gęsto porośnięte drzewami, które zasłaniały rwący nurt, a szmer wody mieszał się z szumem topoli. Rozmawiali wciąż o tych małych prawdach, kiedy David znów przystanął przy krzakach jeżyn i próbował zerwać kilka, a kiedy pociągnął za jedną z gałązek, zrywając owoc, jednocześnie poczuł ukłucie kolca w opuszkę palca. Wyciśnięta kropla krwi zmieszała się z sokiem zgniecionej jeżyny. David dziwił się nerwowości, z jaką Ana zaczęła go obejmować, szukając zranionego palca, by zlizać z niego krew. Potem ruszyli dalej i wtedy usłyszeli szmer wody. David stwierdził, że zapewne w tej okolicy, dość przyjemnej dzięki szumiącym topolom i bukom o srebrnych pniach, błąkał się zraniony jeleń Świętego Jana od Krzyża, szukając swej ukochanej, ale zaraz potem ścieżka zaczęła piąć się stromo w górę. Kochankowie wcześniej opowiadali sobie różne historie i na jednym z postojów, już w trakcie prawdziwej wspinaczki, David przypomniał Anie, że kiedy kochała się po raz pierwszy, towarzyszyły jej jelenie.

W miarę jak posuwali się jedną z wąskich górskich dolin, wkraczali coraz głębiej w mrok swych dusz. Po godzinie marszu między paprociami zaczęła prześwitywać rzeka. Czasami przechodzili tunelem srebrzystych dzikich sadów, przez które przeświecało słońce, wreszcie gdzieś nad sobą zobaczyli owoce granatów. David wybrał jeden, bardzo dojrzały.

– Wygląda jak skórzany mieszek – stwierdziła Ana.

– To jest skórzany mieszek pełen rubinów. Pamiętam taki wiersz Świętego Jana od Krzyża, który miałem zanalizować na maturze. Nigdy go nie zapomnę.

Wręczając Anie owoc, David zaczął recytować:

A potem na wyżyny
W skaliste groty pójdziemy,
Które w ukryciu są osłonione.
I tam w ich wnętrze wszedłszy tajemnicze
Soku granatów pić będziem słodycze.*

– Kto zostanie kochanką jelenia? – zapytała Ana.

– Mogłaś nią zostać ty, kiedy miałaś piętnaście lat.
Schowaj granat do plecaka i opowiedz mi, co się stało
z wilkiem, który pokazywał ci gwiazdozbiory – poprosił
David.

– Chcesz jeszcze raz usłyszeć tę samą historię? – zawołała Ana, chwytając go za rękę.

– Chcę się dowiedzieć, jakie ślady pozostawił on na
twojej duszy.

– Już ci opowiadałam, że wilkołak nazwał moim imieniem jedną z gwiazd. Nawet dziś, kiedy na nią spojrzę, to
go sobie przypominam. Przez długi czas miałam wrażenie, że ten mężczyzna ciągle mnie śledzi, że co dzień po
południu czeka na mnie przy bramie konserwatorium
i podąża za mną ulicą, wmieszany w tłum, ze spojrzeniem
utkwionym w moich plecach. Czasami w autobusie albo
w metrze czułam jego oddech na karku, jakby siedział
tuż za mną.

– Spotkałaś go jeszcze kiedykolwiek?

– Przez jakiś czas na chodniku przy konserwatorium
siedział i czekał pies, a kiedy wychodziłam, ruszał za mną,
ale potem znikał gdzieś za rogiem. Czasami pojawiał się
niespodziewanie w całkiem odległych miejscach.

– Co to za pies?

---

* Święty Jan od Krzyża, *Pieśń duchowa*, w: *Dzieła*, przeł. o. Bernard Smyrak OCD.

– Z bardzo sztywną sierścią, przekrwionymi ślepiami, podobny do owczarka niemieckiego. Kły sięgały mu aż do brody, ale był bardzo przyjacielski. Pewnego popołudnia spotkałam go na pustej ulicy i widząc, że zbliża się do mnie w jakiś dziwny sposób, doznałam wizji. Na początku chciałam rzucić się do ucieczki. Nie mogłam. Stanęłam jak sparaliżowana, a potem jakaś niepojęta siła pchnęła mnie w stronę zwierzęcia. Zaczęłam go głaskać. Nie pytaj, dlaczego. Potem, w nocy, już we śnie, ciągle go głaskałam, a wtedy pies zaczął przybierać postać mężczyzny-wilka. Pod jego czarną, ostrą sierścią rozpoznałam trenera koszykówki. Zaczęliśmy miłą rozmowę. Zachowywał się tak, jakby jego obecność była czymś naturalnym. Zaprosił mnie na kawę, do pierwszej napotkanej kawiarni. Być może inni ludzie widzieli w nim normalną osobę, bo nikt nie odwracał twarzy na widok tego potwora. Z kpiną w głosie zapytał, czy nauczyłam się już grać w koszykówkę. Kiedy oznajmiłam, że nienawidzę tego sportu i że nie dotknęłam piłki od tamtego lata, był bardzo ciekawy, czy przydały mi się nocne lekcje, których udzielał mi z taką pasją. Łapą pogłaskał bliznę na mojej brodzie. „To mój znak. Chroń go", powiedział. Mówiłam ci. Ten mężczyzna ugryzł mnie tu, kiedy kochał się ze mną w blasku księżyca.

– W towarzystwie jeleni – zawołał David.

– Stojąc przy barze, powoli zmieniał się w zwykłego człowieka. To był trener, Mikel, dużo starszy, choć minęły zaledwie dwa lata.

– Jak wyglądał? – zainteresował się David.

– Zwykły facet, z nieciekawą twarzą, jak tysiące ludzi, których mijasz na ulicy. Zapłacił rachunek i wyszedł. Nie zauważyłam, jak włożył mi do torebki wizytówkę z adresem i numerem telefonu.

– Śniłaś jeszcze o nim?

– Choć sądziłam, że ten mężczyzna pojawił się tu tylko po to, żeby mnie spotkać, już nigdy więcej o nim nie śniłam. Ale on powiedział mi na pożegnanie: „Będę cię śledził w mieście przez wszystkie dni i wszystkie noce".

– Ciągłe go w sobie nosisz. Teraz nazywa się Bogdan.

– Być może. Mimo że tamte miłosne schadzki wspominam jako niezwykle romantyczne, zwłaszcza opiekę gwiazdy, mojej imienniczki, z czasem przeszłam bolesne przeobrażenie. Bardziej podniecałam się na wspomnienie trenera obrzucającego mnie wyzwiskami na boisku, niż wyobrażając go sobie leżącego obok i pieszczącego mnie z czułością, z jaką zwykł to czynić. Czy jestem normalną kobietą? Przez długi czas miewałam fantazje z moim trenerem w roli głównej, mężczyzną z pyskiem wilka, zakrwawionymi kłami, ognistymi oczami i członkiem uniesionym do góry, albo wyjącego miłosne zaklęcia, albo kąsającego mnie na środku boiska. A kiedy wyobrażałam sobie, jak śliczny i czuły, czysty i nagi leży obok w świetle księżyca, nie czułam nic. To pomieszanie miłości delikatnej nocą i brutalnej w słonecznym świetle dnia wciąż w sobie noszę i dlatego moje związki z mężczyznami nigdy nie należały do łatwych.

Nie znali nazwy rzeki, wzdłuż której wędrowali w górę, szukając jej źródeł, nie wiedzieli też, ile czasu im to zajmie, ale tego ranka czuli się szczęśliwi, łącząc miłość z naturą. Przez płaskie odcinki drogi szli, trzymając się za ręce, przy ostrych podejściach czasami oddalali się od siebie, aż tracili się z oczu, zasłonięci przez gałęzie ciężkie od owoców. Po godzinie dotarli do pierwszego wodospadu i wsłuchani w jego szum pocałowali się z czułością, z jaką zwykły to czynić niektóre zwierzęta. David traktował Anę jak rekonwalescentkę, bo wydawało mu się, że bardzo ucierpiała w romansie z Bogdanem. Woda spadała z wielką siłą, a wilgoć panująca dookoła pokryła ich ciała śliską w dotyku warstwą, i choć zamiast pocić się ze zmęczenia, zaczęli drżeć z zimna, serca objętych kochanków wydawały delikatne westchnienia, a szum wody ledwie pozwalał im się nawzajem usłyszeć.

David szeptał, jak bardzo jest szczęśliwy, że może ją kochać tu, na otwartej przestrzeni, a nie w pokoju opieczętowanym sekretnym romansem. Ana milczała przez chwilę, ze wzrokiem utkwionym gdzieś daleko, wspominając opowiedzianą przez Davida historię o dziewczynie zamkniętej w komórce, i nagle zaczęła płakać, a on pomyślał, że wzruszyła się pięknem przyrody wokół, więc złapał ją za rękę i powiedział:

– Kiedy zagłębiasz się w przyrodę i docierasz do jej serca, gdzie mieszka bożek Pan, strażnik Świata, on udziela ci swego daru i nagle z przerażeniem czujesz, jak twoja dusza się rozpada; czasami natomiast ten sam bożek sprawia, że krajobraz staje się przedłużeniem zmysłów, aż tworzy część duszy i wtedy poczucie szczęścia każe ci płakać. Chciałbym, żebyś teraz płakała ze szczęścia.

– Wiesz, że płaczę z byle powodu – stwierdziła Ana. – Nagle przypomniałam sobie tę dziewczynę, którą porzuciłeś w dniu twojego ślubu. Jak miała na imię?

– Clara.

– Co się z nią stało?

– Nie wiem.

– Dlaczego brakowało ci odwagi wtedy, choć byłeś młodszy? Dlaczego wciąż jesteś tchórzem?

– Uwielbiałem ją w tamtym pokoju pełnym rupieci. Tam sprawiłem, że czuła się jak królowa. Dałem jej tyle, ile mogłem.

– Nie.

– Sądziłem nawet, że zawsze będzie mi wdzięczna, że traktowałem ją jak damę.

– Dama w komórce ze szczurami? – zdziwiła się Ana.

– Taki był ze mnie głupiec. To są porażki, które cię niszczą – wyszeptał David.

– Gdzie ta Clara może teraz mieszkać? Nigdy jej nie spotkałeś?

– Kiedyś wydawało mi się, że widziałem ją z okna autobusu, stojącą na światłach. Nie jestem pewien, czy to była ona. Nie wiem, co się wydarzyło w jej życiu. Może wyszła za jakiegoś pracowitego chłopca i jest teraz właścicielką sklepu, albo jej mąż ma trzy ciężarówki, albo jest emerytką gdzieś na wsi. Może umarła. Przez całe lata, kiedy tylko myślałem o tej dziewczynie z oczami antylopy, uśmiechałem się melancholijnie i w mojej wyobraźni przyprawiałem jej skrzydła, zmieniałem ją w księżniczkę. W ten sposób szukałem odkupienia. Ostatniej nocy podarowała mi niebieski kamień. Zrobiłem sobie z niego breloczek, który służył mi wiele lat. Zawieruszył się przy którejś przeprowadzce. Może jeszcze leży w jakimś pudle.

– Przekułeś miłość w breloczek?

– No cóż, dokładnie tak. Zgubiłem breloczek, a Clara być może nie żyje.

– Jeśli byłeś jej pierwszym mężczyzną, a ona umarła, możesz być pewien, że w ostatnich momentach życia myślała o tobie – stwierdziła Ana.

– Tamtej ostatniej nocy z ciemnej komórki wyfrunął gołąb. Jestem żałosny, ale mam jeszcze czas, żeby odzyskać w tobie wszystkie stracone miłości. Pocałuj mnie – poprosił David.

– Będziemy się tu kochać niczym para jeleni? Tak niewinni jak one?

– Chcę, żebyś zapomniała o Bogdanie.

– Bardzo bym chciała, ale to trudne – odparła Ana.

– Dlaczego?

– Poznałam go w dość dziwny sposób. To kolejne moje szaleństwo.

Bogdan zjawił się w Hiszpanii na tournée z rumuńską Orkiestrą Narodową, z której uciekł, prosząc o azyl polityczny. Nie udało mu się. Błąkał się po ulicach Madrytu bez żadnych dokumentów, przez jakiś czas sypiał po bramach, żebrał na skrzyżowaniach z kartką u szyi następującej treści: „Jestem rumuńskim muzykiem emigrantem". Nie szło mu najgorzej. Wzbudzał zainteresowanie kierowców, bo nosił ubranie, w którym wyglądał trochę na żebraka, a trochę na artystę. Ana mieszkała wtedy w dzielnicy Lavapiés. Znała się z grupą ludzi, którzy zajęli jakiś opuszczony zniszczony dom. Któregoś dnia pojawił się tam Bogdan. Żebrał, szukał pracy, tułał się jak bezdomny pies.

– Bogdan naprawdę przypominał zagubionego w mieście psa – powiedziała Ana.

– Tak – przytaknął David.

Kiedy Ana poznała go w tamtym opuszczonym domu, kończyła właśnie okres buntu, który zaczęła, gdy miała lat osiemnaście. Przed Bogdanem miała za sobą życie w komunach, piosenki Léo Ferré i Jacques'a Brela, grę na wiolonczeli na placykach w dzielnicy de los Austrias, podróże autostopem aż do Marrakeszu, plaże nudystów i marihuanę nie do uniknięcia na Ibizie, a cały ten krąg przeszła jako niewinna pasjonatka życia, nie przerywając studiów muzycznych i wiążąc się niedojrzałym i za wczesnym małżeństwem z młodym Argentyńczykiem, grajkiem bandoneonistą z Plaza Mayor, by po dwóch la-

110

tach przeżyć rozwód, który nie pozostawił żadnych trwałych śladów w jej psychice. Drżąca, przygnębiona i całkowicie otwarta na wszelkie wrażenia na granicy śmierci, zjawiła się w zrujnowanym domu w Lavapiés, i to tam pewnego dnia grała suitę Bacha, siedząc na rusztowaniu, w ramach protestu wobec policji, która usiłowała wyciągnąć z tej nory grupę bezdomnych, wśród których był i rumuński pianista.

Ana zakochała się w Bogdanie dla jego przepastnych oczu i pewnego dnia poszła za nim z domu aż na róg Serrano, gdzie żebrał. To było późne sobotnie popołudnie. Bogdan ubrany był w ciemne łachmany i podarte buty. Jego dzika broda dodawała mu szlachetnej elegancji, bo jego twarz nie była twarzą sponiewieranego włóczęgi, ale dumnego człowieka. Może Ana miała złote serce, może chciała raz jeszcze dojść do granicy szaleństwa. Wiedziała, że Bogdan jest muzykiem, choć nie zamienili ze sobą słowa przez tych parę dni, kiedy mieszkali razem na siennikach rozrzuconych po kątach opuszczonego domu. Dlatego Bogdan zdziwił się, widząc, jak Ana podchodzi na róg ulicy Serrano, żeby dać mu jałmużnę, jakby była pełną współczucia nieznajomą.

– Proszę – powiedziała, wręczając mu garść monet.

– Co ty robisz? – zapytał Bogdan.

– Mam do ciebie prośbę. Założyłam się.

– Z kim?

– Założyłam się sama ze sobą, że tej nocy zabiorę cię do najbardziej eleganckiej dyskoteki w mieście.

– Jestem żebrakiem. Nigdzie mnie nie wpuszczą – stwierdził z uśmiechem Bogdan.

– Będziesz najprzystojniejszym, najbardziej egzotycznym, najbardziej tajemniczym mężczyzną. W tym swoim ubraniu.

Ana chwyciła Bogdana za rękę i nie puszczała jej przez całą ulicę Serrano, choć przelewał się tędy tłum wyperfumowanych ludzi, ślicznych dziewczyn z torebkami z drogich magazynów i facetów w kaszmirowych płaszczach, szli w blasku wystaw jubilerów i pod bacznym spojrzeniem manekinów odzianych w markowe stroje, mijali innych żebraków klęczących na chodniku, z rozłożonymi rękoma przed puszką na pieniądze. Kiedy zaczęły się zapalać pierwsze światła nocy, zaprosiła go na kolację do restauracji ze świecami i czerwonymi serwetkami, gdzie rozmawiali o muzyce, a potem Bogdan opowiedział kilka historyjek ze swojej przeszłości, wspominał ojczyznę i cierpienia, jakich doznał na emigracji; opowiadał jej o swojej żonie, Katii, która została w Bukareszcie i czeka na jego telefon; o upokorzeniu, jakim jest dla niego żebranie, ale przede wszystkim o strachu, że zesztywnieją mu dłonie. Już od lat nie grał na fortepianie. Żeby ćwiczyć palce, narysował na tekturze naturalnych rozmiarów klawiaturę, którą rozkładał na ławce w parku Retiro i codziennie z pamięci wykonywał na tym fortepianie *Światło księżyca* Beethovena, tudzież inne ulubione utwory dla ptaków i takich jak on włóczęgów. Sposób, w jaki opowiadał o tym nieszczęściu, spoglądając na Anę ciemnymi magnetyzującymi oczyma, sprawił, że współczucie zaczęło dokonywać w niej pierwszych spustoszeń. Jeszcze raz była gotowa zatracić się w ratowaniu drugiego, nie bacząc na konsekwencje.

Tej nocy poszli tańczyć do Pachá, bez problemu minęli tyralierę umięśnionych goryli strzegących wejścia. Łachy Bogdana zalśniły złotym blaskiem, kiedy padły na nie światła dyskoteki. Poza tym jeśli ktoś zabiera żebraka z ulicy i prowadzi do modnego lokalu, zapewne robi to ze swego rodzaju snobizmu.

Kobieta czuje, póki rządzi, aż w końcu składa siebie na ołtarzu poświęcenia. Ana miała w ramionach nieśmiałego i bezbronnego mężczyznę, którego przeżycia głęboko nią wstrząsnęły. W półmroku panującym w sali przywarła do niego, by oddać mu całe ciepło swego ciała. Pierwotna woń potu i zapach rdzy z jego łachmanów obudziły w niej instynkt opiekuńczy, choć z drugiej strony i ona czuła się bezbronna i potrzebowała chwycić się nowej miłości, żeby wyjść z labiryntu. Tej pierwszej nocy najpierw całowali się pełni czułości i Bogdan dał upust swym najgłębszym emocjom, płacząc z wdzięczności, a potem kochali się nocą na parkowych ławkach i dzielili kanapkami, aż dotarli do opuszczonego domu i tu utwierdzili się ostatecznie w swojej miłości, na brudnym sienniku, gdzie w czasie jednej z gwałtownych miłosnych sesji Ana została od stóp do głów spryskana moczem Rumuna, który niczym drapieżca oznaczył jej ciało jako własne terytorium. I tak poddawała się powoli rytuałom gwałtu, który początkowo smakował jak mocny słodki likier. Z biegiem czasu bałkański romans nabrał cech zdegenerowanej mistyki, która dla Any stała się prawdziwym nałogiem.

Nie umiała wyjaśnić przemiany, jaka się w niej dokonała. Bogdan był dumny ze swego serca, szlachetnego i całkowicie wolnego, i sprawił, że Ana również od pierwszej chwili poczuła się dumna z jego odmienności. Dość szybko poczuli nieprzepartą potrzebę transfuzji ciał, jak dzieje się to w przypadku dwóch osób z tą samą grupą krwi, które jej przetoczeniem ratują się od śmierci. Nie wiadomo, czy należało to nazwać miłością, ale przeżywali coś na kształt uświęconego misterium, doświadczali w seksie rytualnej ofiary, składanej sobie samym, albowiem czuli się bogami. Pewnego popołudnia, kiedy Bogdan leżał w łóżku, w gorączce, całkowicie nagi, Ana podeszła do jego ciała, poprosiła, by szeroko rozwarł powieki i przesunęła językiem po jego mokrym i drżącym oku, rogówce, tęczówce, źrenicy. Nigdy z nikim czegoś podobnego nie robiła, ale odczuła seksualną potrzebę takiego zachowania, tak jak on kiedyś wkładał język do jej waginy lepkiej od menstruacyjnej krwi. I nie było w tym przemocy czy wulgarności.

– Na początku to nienasycone pragnienie komunii, odczucia największej intymności poprzez wszystkie wydzieliny ciała miało w sobie coś z mistyki, ale dość szybko zaczęłam odczuwać strach – Ana kończyła opowieść.

– Mistyka nigdy się nie kończy. Zwierzęta zawsze potrafią się pohamować – stwierdził David.

– Nie zawsze. Wiesz doskonale, że niektóre samice zjadają samca po akcie kopulacji. Bogdan zawsze chciał iść dalej. Być może już wtedy myślał o śmierci. Od początku się bałam. Ja już tak dłużej nie mogę. Ale jednocześnie kocham go do szaleństwa. Rozumiesz?

– Nie – odparł David.

Nagle coś dziwnego stało się z pogodą: zaczęło padać z dołu do góry. Znad rzeki unosiła się utworzona z nieskończonej ilości gorących kropli mgła, która rosła między ścianami urwiska, otulając uformowane przez erozję wapienne katedry z ich łukami, przyporami i pinaklami. Idąc ścieżką, mijali wiele jaskiń z jeziorkami. To tu właśnie znajdowały się wysokie skaliste groty, opisane w *Pieśni duchowej* Świętego Jana od Krzyża. Jedna z nich miała skalną półkę zawieszoną nad przepaścią i znajdowała się w sporej odległości od źródeł rzeki, której nazwy nie znali, tak że dochodził ich tylko szum wody, z którym popłynęły też słowa miłości.

Mieli ze sobą jedzenia w sam raz na jednodniową wycieczkę, ser, chleb, konserwy, wodę i trochę owoców zerwanych po drodze. Krajobraz urzekał pięknem, więc kochankowie, odpoczywając w milczeniu, kontemplowali go przez chwilę. Potem Ana znów zaczęła opowiadać o bałkańskiej namiętności, wciąż stanowiącej część jej życia, a David kroił owoc granatu, a potem machnął nożem, strzepując sok z ostrza. Spojrzał w bezbronne oczy kochanki.

– Kiedyś powiedziałaś mi, że masz dobre serce, choć twoja dusza jest czarna.

– Tak powiedziałam?

– Możesz mi to wyjaśnić teraz, kiedy krążą nad nami, niczym nad padliną, czarne kruki?

– Bogdan przeżywa teraz ciężkie chwile ze swoją żoną. Uważa, że to ona jest jedyną przeszkodą na drodze do naszego szczęścia. Nie wiem, jak daleko mógłby się posunąć. To zbyt brutalne, żeby tu o tym mówić, obok tego czystego źródła.

Ana w milczeniu i z uwagą śledziła ruch noża nad mieszkiem pełnym rubinów. Kiedy David podał jej kawałek granatu, poczuła, jak sok z przejrzałego owocu ścieka po palcach. Powiedziała Davidowi, żeby położył się na plecach i zaczęła mu rozpinać najpierw kurtkę, a potem koszulę, odsłaniając nagą pierś, na widok której uśmiechnęła się przebiegle, by potem wycisnąć owoc nad lewym sutkiem, co wyglądało jak krew tryskająca z rany na sercu.

– No widzisz, nauczyłam się reguł gry – wyszeptała Ana, powstrzymując wzruszenie.

– Jesteś bardzo zdyscyplinowaną rekonwalescentką – stwierdził David.

– Czy to przypadkiem nie Święty Jan od Krzyża wspominał o tym ćwiczeniu? – spytała.

– Widzisz morze?

– Tak.

– Bardzo bym chciał, żeby przetrwał w tobie ten szczególny dar z czasów dzieciństwa.

– Nie pozwól mi się zatracić.

– Nie jestem silnym mężczyzną.

– Wybierz mnie, proszę, wybierz mnie mimo wszystko – szeptała Ana, zlizując sok granatu rozlany na jego piersi.

W górze krakały kruki, ale serce Any uspokoiło się, tak jak dzieje się to z upiorami pijącymi krew, kiedy zatopią kły w szyi kochanka i docierają do jego duszy. Wtedy zaczęli kochać się jak zwierzęta i w upojnej rozkoszy Ana znów zaczęła wzywać Martina głosem, który odbijał się echem w jaskini.

– Oooo, Martín, przyjdź..., przyjdź! Martín, kończ, Martín! Gdziekolwiek jesteś, zawsze cię będę kochać, Martín!

Kiedy skończyli, Ana przeprosiła Davida i zasnęła z głową na piersi splamionej śliną i sokiem z granatu. Dokładnie w tym czasie, wezwany naglącym krzykiem Any, duch Martina wstał i zaczął ku niej podążać z odległego zakątka. Na łonie natury, pod władzą bożka Pana, tego z kopytami kozła, który rządzi również miłosną namiętnością, mit wkroczył w rzeczywistość.

Wsłuchując się w miarowy oddech kochanki, David rozmyślał o dawnych czasach. Tęsknie wspominał samotną wspinaczkę w dolinie czereśni, gdzie kiedyś czuł się szczęśliwy pośród ciszy, próbując odczytać hieroglify na skórze jaszczurek. Ile lat upłynęło? Za pierwszym razem, gdy udał się do czereśniowej doliny, piękno przyrody przyprawiło jego zmysły o dziką rozkosz. Tamtego wiosennego poranka jechał powoli, a uginające się od owoców gałęzie wdzierały się przez okna do samochodu i gdy z łatwością zrywał z drzewa dojrzałe czereśnie, miał wrażenie, że życie ofiaruje mu w darze miłość, na którą nie zasłużył. Ta miłość była jeszcze bezimienna. Ale stracił już Clarę, po niej Evę, potem Silvię, wreszcie Glorię, swoją żonę, i już tylko wspominając utracone miłości, znów ruszył w górę doliny, o której urodzie śnił już w młodości, by odegrać swój własny mit o Syzyfie, choć w jego przypadku wtaczane kamienie różniły się ciężarem i zamiast nosić je na plecach, krył je w sercu lub w umyśle. Czy można odczuwać smutek wśród falujących na wietrze czereśni w kolorze ognia?

– Która godzina? – zapytała Ana.

– Nie wiem. Pewnie już późno – odparł David, błogo rozleniwiony.

– Wracamy?

– Miałem bardzo dziwny sen – oznajmił, zbierając się do drogi.

– Musimy się śpieszyć, jeśli chcemy zdążyć przed zapadnięciem nocy. Spałeś? Co ci się śniło?

– Śniłem o jaszczurce, którą znalazłem jako młody chłopak w pewnej czereśniowej dolinie, miała na pomarszczonym grzbiecie zapisany hieroglif. Przy końcu wędrówki usiadłem pogrążony we własnej tęsknocie, w cieniu skały, przez której szczeliny sączył się już dawno spadły deszcz.

– To ta sama wilgoć, która otula nas teraz – stwierdziła Ana.

– Tam w górze każdy jar otwierał niebieskie oko, niczym morze, w którym zatonęły wszystkie rozkosze młodości. Próbowałem kijkiem podważyć dość spory kamień u moich stóp, kiedy niespodziewanie wysunęła się spod niego jaszczurka i zanim uciekła, spojrzała na mnie zauroczona, przechyliwszy łebek. Wydawało mi się, że czytam anonimowy wers zapisany na jej skórze tysiące lat temu: zapomnij o utraconych miłościach i bierz nową, którą daruje ci teraz chwila. Potem podważyłem kamień, który pchnięty spadał, zataczając kręgi po całej dolinie płonącej ogniem czereśni. To był kamień Syzyfa. Zabrał moje serce. Zbudziłem się ze słowami: jutro po niego pójdę. Kiedy sen się kończył, przytulałem cię i w kolejnej wspinaczce niosłem w ramionach na szczyt góry.

Kiedy David zapinał koszulę, wciąż miał tors poplamiony sokiem. Ruszyli w drogę powrotną, trzymając się za ręce, i kiedy schodzili spod kamiennej groty, szukając ścieżki, Ana wyznała, że bardzo podobał się jej sen opowiedziany przez Davida. Tym razem Syzyf już nie porzuci swojej miłości, kara bogów bowiem posłużyła mu za naukę. W pewnej chwili kochankowie dostrzegli, że droga się rozwidla, i nie potrafili wskazać, którą ścieżką przyszli. Przy wyborze zdali się na ślepy traf i ruszyli dalej. Gdy słońce chowało się za wieżami wapiennych katedr i w wąwozie zapadał zmrok, po godzinnej wędrówce, zagubieni w mroku nadciągającej nocy, usłyszeli huk wodospadu i zaraz ujrzeli nie jedno źródło, ale dwa potoki, które łączyły się w jedną rzekę.

Zaczęła opadać mgła i to, co dostrzegali wokół, nie wróżyło najlepiej, zrozumieli, że się zgubili. Ana czuła grozę przyrody, ale podążali dalej brzegiem, idąc za szumem potoku, toczącego się zwartym nurtem między ścianami wąwozu, a była to dokładnie ta niepewna godzina zmroku, kiedy zwierzęta myślą już o swoich legowiskach, a ptaki wybierają najlepsze drzewo, by zmierzyć się z ciemnością, choć wciąż jeszcze słychać wrzaski ptactwa odbijające się echem w wąwozie, a gdyby mgła rozwiała się, kochankowie dojrzeliby już nieco wyblakły błękit nieba.

David wiedział, że w obliczu niebezpieczeństwa kobieta woli bohatera niż poetę. Skoro nadeszła ta chwila, David powinien dobyć z głębi ducha odwagę, bo oto przyroda stawała z nim w szranki, a Ana stanowiła część tego wyzwania. Wartość człowieka można oszacować na podstawie jego zachowań w obliczu niebezpieczeństwa. Wspinaczka, skok nad przepaścią, zabicie pytona, przebycie rzeki pełnej krokodyli czy wędrówka w głąb lasu, gdzie smok trzyma w swych szponach piękną dziewczynę, i stawienie czoła tym wyzwaniom, to kodeks, któremu podlega bohater, aby zasłużyć na miłość. David dobrze odegrał swą rolę. Szli zagubieni we mgle, widząc przed sobą jakieś pięćdziesiąt metrów ścieżki, on prowadził ją za rękę, ostrzegając o ewentualnych przeszkodach, kamieniach, gałęziach, niewielkich uskokach. Wiedział, że Ana jest bardzo przygnębiona, więc choć szli skrajem przepaści, żeby rozbawić kochankę, opowiadał jej same błahe historie o niechęci, z jaką wraca z wykładami na uniwersytet, o wizycie u dentysty zaplanowanej na jutro, o ostatnim filmie, jaki widział w kinie, o wykładzie, który miał wygłosić w bursie na temat córki Garcii Lorki, i kiedy ścieżka zakończyła się u brodu rzeki, którym mieli przejść na drugi brzeg, w miejscu, gdzie wąwóz się zwężał, tworząc kolejny wodospad, David udał, że nie jest to w żadnym stopniu niebezpieczne, i pomógł jej skakać po kamieniach, jednocześnie opowiadając, że jego ulubionym dżemem jest ten o smaku gorzkiej pomarańczy.

– No już, skacz.

– Boję się, Davidzie. Nic nie widzę – krzyczała Ana.

– Polubiłem ten dżem, kiedy byłem w Niemczech. No już, skacz, szybko.

– Zabiję się.

– Nie puszczaj mojej ręki.

Ana poślizgnęła się i przez parę chwil David trzymał ją za ramię, kiedy wisiała nad niewielką przepaścią. Gdy wreszcie ją wyciągnął, w zamieszaniu spadły mu okulary, które porwał prąd rzeki. Przeprawili się na drugi brzeg i choć David szedł przerażony, prawie po omacku we mgle, czuł się dumny, bo zmierzył się sam ze sobą i wiedział, że jedyną ochroną dla Any jest odwaga, jaką on się teraz wykaże. Przez kolejną godzinę wędrowali zagubieni. David nic nie widział i to Ana musiała trzymać go za rękę i ostrzegać o przeszkodach na drodze. Nic nie wskazywało na to, że znajdą wyjście, zanim całkiem zapadnie noc, więc David myślał, że nowemu wyzwaniu będzie musiał stawić czoło prawie na ślepo, by wyjść zwycięsko z potyczki, ale szczęście wynagrodziło jego śmiałość, bo nie okazał ani razu strachu i zupełnie niespodziewanie mgła się rozproszyła i ich oczom ukazała się dolina ze światłami górskiego miasteczka, tego samego, z którego wyruszyli rano. Usiedli, aby odpocząć. Napili się wody. Pocałowali się objęci i drżący, a potem David zaczął snuć opowieść:

– Dwaj uciekinierzy spotkali się w nocy u szczytu głębokiej doliny. Niedaleko leżała opuszczona wioska. Ci dwaj uciekinierzy to ty i ja, dwoje wojowników, uciekających każdy po innej klęsce. Wydawało im się, że polegli w bitwie, dawno temu. Po trzech dniach błądzenia we mgle znaleźli miejsce na ognisko i zaczęli rozmawiać w blasku płomieni.

– Jak wyglądali ci wojownicy?

– Jeden z nich był młodą kobietą, silną blondynką o szlachetnym sercu, która zaryzykowała wiele dla miłości i z góry przegranych spraw. Z całej walki przeciwko rozpaczy zostało jej kilka śladów na szyi i blizna po wilczych kłach, zdobyta w księżycowej poświacie. Pośród ludzkich nieszczęść uważała, że jest wybranką losu jako kochanka smoka i akt rozkoszy uznała za swój wkład w szczęście ludzkości.

David zamilkł, a w głębi doliny rozległo się szczekanie psów. Szosą, która przecinała dolinę, jechały samochody z już zapalonymi światłami. David ciągnął opowieść z zamkniętymi oczyma, paląc papierosa.

– Drugi uciekinier był o wiele starszy. Kiedy zaczął opowiadać o własnej klęsce, przymknął oczy, tak jak ja. Ten uciekinier nie uczestniczył w żadnej wojnie. Nigdy niczego nie zaryzykował. Ani w miłości, ani w polityce. Milczał w obliczu sprawiedliwości. Przyglądał się rzeziom niewiniątek i nie protestował. Nigdy nie zaangażował się w sprawę, która zburzyłaby ustalony porządek jego życia. Parę razy kusiło go szaleństwo, ale zawsze się przed nim bronił, bo zabrakło mu odwagi, żeby być szczęśliwym. Ten uciekinier nie mógł opanować wzruszenia i w blasku ognia w jego oczach zalśniły łzy.

– Ty też płaczesz? – spytała Ana.

– Byłem konformistą. Dlatego płomienie oświetlają teraz moją klęskę.

– A jaki jest koniec tej opowieści? – chciała wiedzieć Ana.

– Być może dla żadnego z nich nie było już ratunku – ciągnął David ze znieruchomiałymi oczyma. – Ale oboje poczuli się związani tą samą mgłą. Po długim milczeniu noc się skończyła, psy przestały szczekać i z kominów opuszczonej wioski zaczął lecieć dym pachnący dębowym drewnem. Życie toczyło się dalej. Uciekinierzy, choć zdawało im się, że umarli, poczuli na zamkniętych powiekach różowe światło brzasku, którym pokryła się mgła w głębi doliny. I wtedy starszy mężczyzna rzekł do kobiety: tylko to złotawe światło może nas uratować.

... ile czasu byłaś dwiema, kochałaś i nie kochałaś,
cóż to za tam i z powrotem między pazurami wilka
i moimi ramionami...

Z końcem jesieni kwintet z Bukaresztu uczestniczył w cyklu koncertów muzyki kameralnej zorganizowanym przez Koło Sztuk Pięknych i właśnie przed tym występem Anę dręczył nocny koszmar. Pianista naciskał dłonią jej szyję, we śnie przypominali zwierzęta w obscenicznym uścisku. Bogdan ciągnął ją do tyłu, ujeżdżając rytmicznie, nie pozwalając jej złapać tchu ani się podniecić. Ana czuła nacisk łap na tchawicy, która jej o mało nie pękła. Słyszała jego wycie. I wtedy obudziła się przerażona. Gwałtownie usiadła na łóżku i wstrzymując oddech, uniosła dłoń do szyi. Obok Bogdan, niezwykle troskliwy, gładząc ją po plecach, prosił: „Spokojnie, to tylko sen. Już dobrze, spróbuj zasnąć". Ana czuła senność, ale nie chciała położyć się od ściany. To tu z głową złożoną na narożnym zagłówku śniła ten koszmar. Bogdan zapalił lampkę. Podał jej szklankę wody i dotknął czoła, jakby sprawdzał, czy ma gorączkę. „To tylko zły sen", Ana czuła suchość w ustach i sztywność kości szczęki, a że przełykała z trudem, część wody rozlała się jej na piersi. „To był tylko zły sen", uspokajała samą siebie. Kiedy odwróciła się, żeby zasnąć, zobaczyła na ścianie cztery głębokie ślady pazurów. Dwa z nich nasiąkły czerwienią. Instynktownie spojrzała na swą dłoń i odkryła, że

125

na palcu wskazującym i serdecznym skórki wokół paznokci pokryte są ciemną krwią. Ana zgasiła lampkę i zwinęła się w kłębek na skraju łóżka, podciągnęła kolana, układając się w pozycji embrionalnej, jak robiła zawsze w dzieciństwie, ilekroć czegoś się bała, nie ruszała się, prawie nie oddychała i czuła, jak zimny pot spływa jej z czoła, a jego słony smak pozostaje na wargach. Bogdan znów zaczął gładzić ją po szyi, po plecach, po biodrach, tak delikatnie, jakby głaskał przerażone zwierzątko, i Ana wciąż pełna lęku zaczęła odczuwać podniecenie. Poszukała jego ciała i po koszmarnym śnie przeżyła gwałtowny orgazm, Bogdan wydawał z siebie rodzaj charkotu, wypowiadając przy tym bezsensowne i przerażające słowa, które napełniły ją jeszcze większym strachem, ale ta groza pod koniec stopiła się ze wszystkimi jej zmysłami i Ana odczuła rozkosz z niezwykłą intensywnością. Już po wszystkim nie miała odwagi zapytać, co znaczyły tamte wycharczane słowa, wypowiadane pół po hiszpańsku, pół po rumuńsku, z których zrozumiała coś o śmierci Katii. Poczekała, aż rozwieją się jej wątpliwości i obawy. Ani przez moment nie czuła, że jest ofiarą tego aktu rozkoszy. Pomyślała tylko, że popada w szaleństwo. Przez resztę nocy nie spała, otulona gorączkowym, wilgotnym ciepłem, ze wzrokiem Bogdana utkwionym w jej karku. O świcie zorientowała się, że mimowolnie zmoczyła prześcieradło. Ostatni raz zrobiła to, kiedy miała pięć lat. Bogdan leżał obok, oddychając w jakiś dziwny przeciągły sposób, dotąd jej nieznany. To nie był zwykły ludzki oddech. Przypominał raczej świst i dyszenie zwierzęcia w norze.

Ana znów znalazła się we władzy Bogdana, a jej niepokój sięgnął niebezpiecznej granicy. Przez parę ostatnich burzliwych tygodni wpadała z ramion Davida w objęcia pianisty, nie mając siły, by rozerwać węzeł, który zaciskał się wokół jej szyi. Żadna rozkosz nie jest wolna od zła. I nawet najbardziej wzniosła zmysłowa rozkosz wypełnia się czasem przejmującą śmiertelną trwogą.

Na scenie ustawiono cztery pulpity i fortepian. Kiedy publiczność zapełniała widownię, David, siedząc w trzecim rzędzie między dwoma pustymi fotelami, czytał wiersz Salinasa.

Ile czasu byłaś dwiema!
Kochałaś i nie kochałaś.
Pomiędzy jedną a drugą.
Luster tego świata,
ciszy i przypadków,
pytałaś,
którą z nich być lepiej
Niestała samej sobie,
zabijałaś,
własne tak swoim nie.[*]

W przejściu prowadzącym przez środek pojawili się muzycy. Za Aną podążał Bogdan Vasile i reszta kwintetu. Już ze sceny Ana przesłała Davidowi delikatny uśmiech, na który odpowiedział równie mało dostrzegalnym grymasem ust. Wyglądała prześlicznie, w dżinsowych spodniach, czerwonym golfie, adidasach, z pełnymi ustami pociągniętymi krwiście czerwoną szminką, brzoskwiniowymi policzkami i włosami w kolorze pszenicy, choć jej twarz wyrażała smutek, którego nie umiała ukryć. Nigdy

---

[*] Pedro Salinas, *Cuanto tiempo fuiste dos*, przeł. Maria Filipowicz-Rudek.

dotąd nie widział Any tak bezbronnej. Jednocześnie po raz drugi spotykał Bogdana, ale tym razem uważał go już za swojego wroga. Na koncercie w bursie ledwie go zauważył. Wydawało mu się, że jest niższy i drobniejszy. Kiedy muzycy wyjmowali instrumenty i przygotowywali partytury, David bacznie obserwował jego ruchy przy fortepianie. Wyobraził sobie, że pod widocznym brakiem ogłady kryje się wrażliwa dusza, bardzo prymitywna, mieszanina czystości i dzikości, co czyni go niezwykle pociągającym dla kobiety z zamierającym instynktem życia. Poczuł, że nie uda mu się go pokonać. Wróg był lepiej uzbrojony. Przede wszystkim posiadał potężne dłonie zdolne wykonać nokturn Chopina na szyi Any w ciemnościach nocy. David czuł się nader słaby, stary, z góry przegrany w starciu z tym gibkim Rumunem o przepastnych oczach. Jak to się stało, że Ana Bron, młoda atrakcyjna kobieta, emanująca seksapilem każdym najmniejszym porem ciała, wybrała jego, faceta, który mógł ofiarować jej co najwyżej parę opowieści i stare kości? Nie rozumiał kobiecej duszy, pomimo że przeszedł przez tyle kolejnych ciał. To ograniczenie wynikało przypuszczalnie stąd, że żadnej w istocie nie kochał. To właśnie było jego prawdziwą klęską i teraz miotał się między brakiem odwagi a potrzebą wolności i szczęścia, które mógłby osiągnąć, gdyby połączył swój los z losem Any, a była to pewnie ostatnia możliwość, podsunięta przez los, by w godzinie śmierci nie musiał czuć do siebie pogardy.

Kiedy muzycy stroili instrumenty, David przypomniał sobie poranną rozmowę z Aną. Zadzwoniła, bardzo smutna, by opowiedzieć mu nocny koszmar. Wspomniała też, że Katia znikła. Od trzech dni nikt o niej nic nie wie. Bogdan jest artystą o dzikim sercu, z ogromnym talentem do muzyki, ale z równie wielką namiętnością do pięknego ciała Any, której krwi potrzebował do uspokojenia swej duszy. Jedyną przepaść, rozpościerającą się między nimi, stanowi Katia, która podąża za swoim mężczyzną bezbronna, ślepo mu ufając, a Bogdan jest gotów zejść do piekła, byleby nie utracić kochanki. Właśnie oznajmił, że nic już nie stoi na przeszkodzie, by Ana z nim zamieszkała, ale nie chciał odpowiedzieć na żadne pytanie. Niepokoi ją jego milczenie.

W tym momencie zabrzmiał *Cello concerto in re menor* Elgara, w wersji na kwintet fortepianowy. Ana wydobywała z instrumentu najbardziej wzniosłe tony, jakie zdołała sobie przypomnieć, i wciąż spoglądała na Davida, siedzącego w trzecim rzędzie, który chłonął melodię wiolonczeli niczym słodki napój rozpływający się w żyłach. Dłonie Bogdana przelatywały nad klawiaturą. Ta niezwykle smutna muzyka poruszyła Davida, bo zdawało mu się, że kochanka mówi o pożegnaniu. Wyobraził sobie, że to ta sama melodia, przy której marzył o romansie w Aleksandrii, ta sama, którą słyszał Marek Antoniusz we śnie znikającym wraz z wszystkimi zmysłowymi rozkoszami, które i on utracił. Wspominał dni spędzone w tamtym mieście, hotel Metropol, nocne dzwonki tramwajów wzdłuż deptaku na brzegu zatoki. Wtenczas był jeszcze młody, chodził w lnianym garniturze i miał przed sobą całe życie na popełnianie pomyłek. Mógł walczyć z każdym o serce kobiety i to nie dlatego, że ważne było zwycięstwo, ale dlatego, że w razie czego zawsze znalazłby następną kochankę. W hotelowym holu pełno było wysokich Nubijczyków odzianych w śnieżnobiałe szaty i czerwone turbany, w towarzystwie sprężystych jak pantery dziewcząt, z walizami oklejonymi nalepkami z najdziwniejszych miejsc. Dlaczego wtedy nie było mu dane poznać Any Bron, długonogiej nastolatki w łapach wilka? Przywoływał w pamięci dawną Aleksandrię, pełną kupców, wozów, uroczych kobiet w słomkowych kapeluszach, tajemniczych podróżnych, przemytników, ludzi ze wszystkich stron świata, złączonych ucieczką, oszustwem, ambicją. Wolności nie zdobywa się w bohaterskim zrywie. To żmudny ciąg drobnych uczynków, które dają prawo do codziennych przyjemności. Wsłuchany w podniosłe dźwięki fortepianu i wiolonczeli przenikające się w ofierze miłości, David widział siebie, wolnego mężczyznę, jak siedzi w kawiarni na deptaku nad Zatoką Aleksandryjską obok Any Bron i czyta gazetę w oczekiwaniu na statek, który właśnie wchodził do portu, przywożąc z odległych miejsc egzotyczne towary i prawdziwe opowieści, które nie różniły się niczym od bajek. Przy trapie statku, już na lądzie, marynarze opowiadaliby zdarzenia z zamorskich podróży, gdzie byłyby i historie rzezi, i pożary miast, i latające dywany. Dlaczego brakuje mu odwagi, aby chwycić ukochaną, zabrać ją na lotnisko i kupić dwa bilety bez udzielania odpowiedzi na pytania losu? Co zabrania mu oswobodzić Anę spod władzy wilka i uciec z nią do Aleksandrii, a nie tylko o tym marzyć? Może tam, z tą piękną kobietą u boku, mógłby stać się dostojnym starcem, pogrążonym w melancholii i szczęściu, a przy tym dość silnym, żeby stanowczo pożegnać zalotnika, o którym słyszał również Marek Antoniusz? Czekałby na statek, który przeniósłby go na tamten świat i przy trapie na nadbrzeżu Ana żegnałaby go, płacząc i machając chusteczką. Aby zwyciężyć wilkołaka i zastąpić jego nasienie literackim romansem, ona również musiałaby tego mocno pragnąć, choć David coraz dotkliwiej przekonywał się, że jego największym wrogiem jest on sam.

Na początku drugiego adagia zaszła z pozoru najzwyklejsza rzecz na świecie, która jednak wywołała dość nerwową reakcję muzyków. Jakaś spóźniona kobieta szła środkowym przejściem, szukając wolnego miejsca w pierwszych rzędach widowni. Znalazła pusty fotel obok Davida. Brunetka w średnim wieku, o czarnych oczach i ostrych rysach, z kiepsko utlenionymi włosami, pewnie u jakiegoś taniego fryzjera. Pojawienie się tej kobiety, która usiadła z niemal kocią gracją, spowodowało, że wiolonczela Any zamilkła na ułamek sekundy, również pianista pomylił akord, wprowadzając w błąd kontrabasistę i skrzypków. Zamieszanie trwało tylko parę sekund, po czym kwintet odnalazł rytm i grał dalej bez przeszkód, a David zauważył, że obecność kobiety wywołała na twarzy Any radosną ulgę, jakby właśnie pozbyła się straszliwego ciężaru. Ana zwróciła się w stronę Bogdana, przesyłając mu łagodny uśmiech, a on z wściekłością uderzył dłońmi o klawiaturę.

David pojął, że te emocje wśród muzyków wzbudza spóźniona kobieta. I rzeczywiście przez cały koncert Ana spoglądała na nią, jakby chciała się upewnić, że to na pewno Katia i że ona żyje, chociaż przefarbowała włosy na jaskrawy blond. Kobieta wyszła z sali przed zakończeniem koncertu. Kiedy oddalała się bocznym przejściem, Bogdan i Ana śledzili ją wzrokiem, aż zniknęła za ciężkimi kotarami.

Po koncercie David wstąpił do kawiarni Koła Sztuk Pięknych i zamówił piwo przy barze. Po chwili zjawili się muzycy. Pianista szukał wzrokiem swojej żony, ale Katia znikła. Ana podeszła, żeby porozmawiać z Davidem.

– Chyba pora, żebyście się poznali, co ty na to? – stwierdziła.

– Myślisz, że to konieczne?

– Przedstawię cię jako starego przyjaciela. Tylko tyle. Przyjaciela rodziny – dodała ze złośliwym uśmiechem.

Ana wzięła Davida pod ramię i zaprowadziła do stolika, przy którym siedział Bogdan. Kiedy ich zobaczył, sposępniał na twarzy i wyniosłym spojrzeniem obrzucił zbliżającego się mężczyznę.

– Jestem ogromnie wzruszony, ściskając dłoń tak wielkiemu artyście – wyznał profesor.

– Miło mi – odparł sucho Bogdan.

Pianiasta był przekonany, że Ana ma nowego kochanka o imieniu Martín, bo to jego przywoływała w chwilach miłosnego uniesienia. Ten facet stał się jego obsesją. Również obsesją Davida. W końcu Ana postanowiła nie zaprzeczać istnieniu owego tajemniczego mężczyzny, choć przecież nigdy go nie poznała.

– Czyżby pan Martín? – spytał Bogdan.

– Mam na imię David.

– To profesor literatury – wyjaśniła Ana.

– Na pewno? – dopytywał się z uśmiechem Bogdan.

– A nie wyglądam? Wolałbym być artystą, takim jak pan.

Zamówili coś do picia i chociaż w rozmowie padło imię Martín, to między dwoma mężczyznami nie wyczuwało się wielkiego napięcia. Ana wyznała Bogdanowi, że widok Katii sprawił jej radosną niespodziankę.

– Sama widzisz, przefarbowała się na blond, żeby upodobnić się do ciebie. Choćby dlatego powinienem ją zabić – ironicznie stwierdził pianista.

– Przepraszam – wyszeptała Ana.

– To jej ostatnia lewa.

David wciąż czuł, że oto podał rękę wrogowi, który miał w sobie coś z okrutnego anioła, coś bardzo uwodzicielskiego. Zaczął z nim rozmawiać, chcąc przeniknąć jego hermetyczną osłonę i pragnąc usłyszeć parę historii z jego życia. Pierwsze odpowiedzi były wymijająco grzeczne. Potem, zachęcony uśmiechem Any, pianista zaczął snuć zwierzenia swoim niewyraźnym, choć poprawnym hiszpańskim. Jeśliby ktoś spojrzał z boku na tych troje spokojnych, a nawet uśmiechniętych ludzi, zapewne nie byłby w stanie wyobrazić sobie krążących wśród nich namiętności.

David czuł, że powinien opowiedzieć coś o sobie. Zaczął od trudności związanych z poszukiwaniami hipotetycznej córki hiszpańskiego poety Garcii Lorki, zamieszkałej w Nowym Jorku. W przyszłym tygodniu w bursie wygłosi na ten temat wykład, na który niniejszym serdecznie ich zaprasza. Potem powiedział, że jest profesorem na urlopie naukowym, mężczyzną rozwiedzionym, któremu żona wystawiła walizki za drzwi. I kiedy miał właśnie opowiadać o wszystkich swoich życiowych klęskach, zjawił się kelner z kieliszkiem porto dla Any i piwem dla jej dwóch kochanków, siedzących naprzeciwko siebie.

Popijając i rozmawiając o błahostkach, kochankowie Any nieustannie świdrowali się wzrokiem. Momentami zapadało między nimi wymowne milczenie. Na stole stały już cztery butelki po piwie, a Ana dopijała drugi kieliszek porto, gdy nagle odezwał się Bogdan:

– Mogę zadać panu jedno proste pytanie?

– Oczywiście – odparł David.

– Co pan tu do licha robi? Co pana łączy z Aną?

– Załóżmy, że jestem jednym z jej licznych wielbicieli, wśród których są artyści, mityczne zwierzęta, wilki, smoki, chimery i zwykli ludzie. Ja jestem właśnie takim człowiekiem – oświadczył David.

– Mówi pan poważnie?

– Oczywiście. Nie mógłbym inaczej.

– Nie może pan inaczej? Jak pan sądzi, co ja mam zrobić?! – pytał podniesionym głosem rumuński artysta.

– Proszę pana, szanuję pana uczucia, ale ja również jestem zakochany w Anie – odparł odważnie i bez zastanowienia David, oddychając pełną piersią.

– Pan chyba żartuje – zawołał pianista.

– Nie mam zwyczaju kpić z takich spraw. W moim wieku nie wypada być niepoważnym – stwierdził David, dodając sobie odwagi lodowatym spojrzeniem.

– Jest pan starszym i, jak się wydaje, kulturalnym człowiekiem. Świetnie. Co jest pan gotów uczynić dla tej kobiety? – z powagą spytał Bogdan.

– Wszystko – odparł David bez wahania, ściszając głos.

– Ja ze swojej strony jestem gotowy zabić. Pan również jest do tego zdolny? Jeśli pan ją naprawdę kocha, będzie pan musiał się poświęcić. W moim kraju w takich przypadkach nie obywa się bez krwi.

– Nie zwracaj na niego uwagi, Davidzie. On nie mówi poważnie – wtrąciła się Ana.

– To wcale nie miał być żart – chłodnym tonem oznajmił Bogdan.

– Całkiem niezła prowokacja. Niestety, nie lubię krwi, jest zbyt wulgarna – uznał David, wzruszając ramionami.

– Mężczyzna musi być mężczyzną – wyszeptał Bogdan, patrząc mu w oczy.

Raz jeszcze David zwątpił w samego siebie. Uznał, że nie starczy mu sił, by zaryzykować wszystko dla miłości. Ana bacznie śledziła pojedynek, może teraz nazbyt literacki, i bezradnym wzrokiem próbowała przekazać Davidowi, by nie tracił odwagi i walczył o nią, nie zważając na konsekwencje, nawet jeśli walka ograniczałaby się do nieprzyjemnej rozmowy, jednakże profesor po raz kolejny szukał wyjścia z trudnej sytuacji z pomocą teorii o miłości, tak by jego niepokój znalazł ujście w słowach.

– Niech mnie pan posłucha – poprosił David tonem doświadczonego profesora. – Na miłość składa się jednocześnie poczucie władzy i zwierzęcego poddania, wolności i ludzkiego przeznaczenia. W miłosnej namiętności zawsze jeden jest panem, a drugi wasalem, tak w puszczy jak i w średniowiecznych zamkach, gdzie narodziła się miłość dworska. To właśnie taki przypadek. Znajdujemy się w kulturalnej kawiarni Koła Sztuk Pięknych w Madrycie, i tu obaj możemy wybrać, czy chcemy wobec Any zachować się jak samce w królestwie zwierząt, czy dworni średniowieczni rycerze. Co pan woli?

Wyciągając przed siebie ramię, aby dodać mocy swoim słowom, David przewrócił parę kieliszków. Porto wylało się na nogi Any, i gdy ów likier w kolorze krwi dostrzegł Bogdan, jego twarz stała się woskowo blada. Choć był to tylko skutek nadmiernej gestykulacji, brzęk tłuczonego szkła i poplamione dżinsy Any zaogniły sytuację między nimi, bo artysta uznał, że David zrzucił kieliszki celowo, demonstrując w ten sposób swą stanowczość. W odpowiedzi Bogdan, nie panując nad nerwami, przyciągnął Anę do siebie i w dość zdecydowany sposób odgrodził ramieniem od Davida, kiedy ten chciał podać jej serwetkę. Rumun zawłaszczył Anę całkowicie i wycierając jej chusteczką krwiste porto z ud, na oczach zdumionego Davida i przy pełnym rezygnacji spojrzeniu Any ustami dotknął szyi i zaczął całować ślady po zadrapaniach.

– Proszę odejść – zawołał Bogdan.

– Nigdzie nie pójdę – odparł David.

– Niech pan odejdzie. To nasza sprawa.

– Nie.

– Proszę odejść albo pana zaraz zabiję.

Bogdan wstał. Chwycił na pół opróżnioną butelkę piwa i z wściekłością roztrzaskał ją o podłogę u stóp profesora, po czym kazał Anie siedzieć bez ruchu. Nie umiejąc się przeciwstawić jego żądaniom, siedziała, ze zdumieniem patrząc, jak David pośpiesznie wychodzi z kawiarni, nawet nie odwracając głowy, i zostawia ją samą pośród rozbitego szkła, we władzy jej wroga. Niech śmierć się nie dowie, że właśnie umarłem, pomyślał David, odchodząc. Znów zdezerterował. Kolejna rysa na jego duszy.

David wyszedł na ulicę i ruszył bez celu. W tym labiryncie rozpaczy zaczął wspominać żonę. Już pół roku mieszkał w bursie, od tamtego dnia, kiedy Gloria wystawiła za drzwi jego walizki. Wszedł do jakiegoś baru. Zamówił whisky. Samotnie popijając, rozmyślał o Aleksandrii, ale tym razem nie marzył, by do niej popłynąć. Jacyś marynarze snuli opowieści. Każdej jesieni unoszone naturalnym prądem Morza Śródziemnego w głąb zatoki wpływało to wszystko, co bogowie wydalili na morzu w ciągu lata. Błękitne wody Aleksandrii pełne są plastikowych worków, łup po melonach, kości kurczaka, opakowań po lodach, prezerwatyw, świńskich wnętrzności i hamburgerów zakonserwowanych saletrą, a wszyscy żeglarze widzą z pokładu statków, jak ta zgniła masa śmieci rozbija się o nadbrzeże Aleksandrii. I to był rytuał jesieni życia, której namiętności nigdy nie opiewał Homer. Niech śmierć się nie dowie, że właśnie umarłem, powtórzył David w myślach, głęboko w sercu, bo sam czuł się jednym z takich śmieci.

... krew jest duszą ciała. Kolejne ciało, zwielokrotniony David, przecięty stalowym kilem, płynął w stronę nowego horyzontu, z duszą oddaną Anie...

David stracił kontakt z Aną. Kiedy po wielu dniach przygnębiającego milczenia postanowił do niej zadzwonić, jej telefon był zajęty albo nikt nie odbierał tak długo, że połączenie przerywano, a wszystko to tylko potęgowało jego samotność. Po głowie błądziły czarne myśli. Wyobrażał sobie Anę w objęciach wilka, w jego łapach, czasem szczęśliwą, czasem przestraszoną. Czuł, że ona oczekuje od niego dowodu odwagi, więc raz jeszcze wybrał jej numer którejś nocy i usłyszawszy w odpowiedzi męski szorstki głos, poznał Bogdana i odłożył słuchawkę, by upokorzony swoim tchórzostwem schronić się w bańce nienawiści i żalu nad sobą, której nie umiał opuścić.

Po tygodniu zaczął tęsknie pielęgnować nieobecność Any. Wracał do kawiarni i kin, w których bywali, na rogi ulic, gdzie się umawiali; co wieczór szedł tymi samymi ulicami, którymi spacerowali razem i w tłumie ludzi na chodniku, w metrze czy w autobusie widział czasem jasnowłosą dziewczynę i zanim się odwróciła, wydawało mu się, że to Ana. Każde miasto zawiera w sobie tajemny plan, który kreślą kochankowie swoimi krokami stawianymi w jesiennej mgle albo wiosną pod akacjami; jest też wyrysowany na zaparowanych szybach kawiarni zimą czy w odciśniętych śladach kolan na trawnikach w parku, gdzie kochają się latem. Ich mroczne pozbawione ust pocałunki trwają w niektórych kinach. Miasto wydawało mu się opustoszałe, choć przesiąknięte miłością. David postanowił czekać na Anę pod jej mieszkaniem i przez parę wieczorów wystawał na rogu placyku. Wreszcie trzeciego dnia o zmroku zobaczył tych dwoje wychodzących z bramy. Bogdan mocno obejmował dziewczynę w pasie. David nie widział, czy jest przygnębiona, czy szczęśliwa.

Pewnego razu odważył się nawet wejść na jej piętro tylko po to, żeby poczuć ją, jak pies, przez szczelinę w drzwiach. W kamienicy nie było windy. Serce uderzało z prędkością pięć razy na jeden stopień i kiedy dotarł na trzecie piętro, łapiąc oddech, zdziwił się, słysząc dobiegające z mieszkania dźwięki znanej melodii. Wewnątrz ktoś grał *Śmierć i dziewczynę* Schuberta, ten sam utwór, pod którego wpływem na koncercie w bursie Ana uroniła parę łez, w tym jedną podobną do kropli krwi. Nie odważył się nacisnąć dzwonka. Być może Ana leżała teraz z wilkołakiem na łóżku, a jęki rozkoszy zagłuszała muzyka. Albo wilk zabrał ją do matecznika, a w mieszkaniu na wiolonczeli grał jej duch. Przez chwilę stał z czołem opartym o drzwi, po czym, upadły na duchu, zdecydował się zawrócić, a muzyka Schuberta towarzyszyła mu aż do bramy i nie opuściła go już do końca nocy.

Przyjaciele z kręgu bursy z niecierpliwością czekali na wykład profesora historii literatury Davida Sorii na temat córki Garcii Lorki, co zapowiadało mały skandal, albowiem tytuł nie stanowił surrealistycznej metafory, lecz odnosił się do prawdziwej córki, urodzonej w Hawanie, a obecnie na emigracji w Nowym Jorku, o czym świadczyły badania profesora prowadzone przez dwa ostatnie lata. Choć prelegent nie cieszył się wielką sławą poza środowiskiem akademickim, zapowiedź wykładu ukazała się w kilku gazetach w dziale wydarzeń kulturalnych. David nie czuł się dobrze. Zmartwiony nieobecnością Any, prawie nie spał tej nocy. Podążając w kierunku katedry, szukał jej wśród publiczności, a kiedy usiadł już za stołem, przesuwał pełnym nadziei wzrokiem po rzędach głów, nie znalazł jednak żadnej jasnowłosej kobiety. Zdumiał się natomiast, dostrzegłszy Glorię z przyjaciółką, siedzące w czwartym rzędzie. Od pewnego czasu rozmazywał mu się obraz przed oczyma, co kładł na karb nowych, źle dobranych okularów, które zastąpiły te stracone niedawno przy ratowaniu kochanki od niechybnego utonięcia w rwącym nurcie potoku. Poczuł się lepiej, gdy wspominał ów akt odwagi, przecierając chusteczką zaparowane od oddechu szkła. Potem wyjął kartki z papierowej teczki, położył w świetle stołowej lampki, sprawdził, czy działa mikrofon, podziękował prowadzącemu za miłe słowa i dyrektorowi bursy za gościnność, wyraził wdzięczność przybyłej publiczności i zaczął czytać:

– Panie i panowie,
W pewne skwarne sierpniowe popołudnie 1936 roku program radiowy RHC – Cadena Azul w Hawanie przerwał nadawane właśnie bolero *Si me pudieras querer como te estoy queriendo yo* w wykonaniu Bola de Nieve. Śpiewała Rita Montaner, a tymczasem w posiadłości w El Vedado pewna dwudziestosiedmioletnia kobieta o śniadej cerze, Inés María Oyarzábal, w kolorowym świetle okiennych witraży drzemała w wiklinowyn fotelu na biegunach, chłodzona podmuchami wentylatora. Radio przerwało nagle program muzyczny, informując, że hiszpański poeta,

141

García Lorca, został zamordowany w Granadzie. Kobieta, przyjaciółka klanu Loynazów i spadkobierczyni znanej rodziny plantatorów trzciny cukrowej, pomyślała, że jej się to przyśniło, ale informację powtórzono wiele razy. Federico García Lorca o świcie został rozstrzelany przez faszystów, w czasie wojny domowej w Hiszpanii.

Inés María wstała, żeby zawołać Celeste, Mulatkę, która na piętrze wiązała właśnie odświętne wstążki Georginie, pięcioletniej dziewczynce, będącej owocem jednej szalonej miłosnej nocy spędzonej z poetą. Inés María wstała, ale poczuła zawrót głowy. O mało nie upadła bez czucia, lecz udało się jej usiąść i tak trwała jakiś czas, nie płacząc, z martwym wzrokiem. Niebawem poczuła pierwsze łzy, a potem musiała zakryć sobie usta koronkową chusteczką, żeby nie krzyczeć przed zdjęciem poety, stojącym na kredensie. W srebrnej ramce Federico obejmował Inés Marię w pasie, oboje szeroko się uśmiechali na tej fotografii, zrobionej nocą przez brata Dulce Loynaz podczas zabawy tanecznej na plaży Mindanao 18 maja 1930 roku, kiedy po wypiciu ogromnej ilości rumu kochali się w pensjonacie, chyba dla jakiegoś zakładu. „Kto mi teraz uwierzy?", pomyślała natychmiast Inés María, a radio nadawało komunikat o zbrodni w Granadzie co pięć minut. Chciała poszukać szkatułki, gdzie przechowywała listy przewiązane czerwoną wstążką, w tym również i ten, w którym Federico uznawał Georginę za swoją córkę, ale gdy podniosła się z fotela, upadła zemdlona na ziemię.

W tym momencie publiczność zgromadzona na sali stała się świadkiem dziwnego zdarzenia. Profesor David Soria nagle poczuł zimny pot na czole, zdjął okulary i przerwał czytanie, rozluźnił krawat, rozpiął kołnierzyk koszuli, przetarł czoło chusteczką i właśnie miał się napić wody, kiedy opadł na stół, przewracając lampkę i szklankę z wodą. Nie miała to być dramatyczna ilustracja wykładu. Bohaterka opowieści zemdlała w swojej rezydencji w El Vedado na wieść o śmierci ojca Georgini, a zasłabnięcie profesora Davida Sorii stanowiło efekt psychicznego wyczerpania po utracie kochanki. Wykład przerwano, a słuchacze zachowali się niezwykle kulturalnie, co w tym miejscu nie powinno dziwić. Zaopiekowano się profesorem z wielką troskliwością, nie dało się jednak uniknąć skutków wydarzenia i następnego dnia w gazecie ukazało się zdjęcie Davida tuż po odzyskaniu przytomności i parę dziennikarskich pytań. W odpowiedziach profesor stwierdził tylko, że brak mu szczęścia.

W kawiarni, gdzie David pił napar z rumianku w towarzystwie dyrektora bursy i paru przyjaciół, Gloria z koleżanką podeszły zapytać o jego samopoczucie. Gloria oznajmiła:

– Bardzo nas wystraszyłeś. Dobrze się czujesz?

– Tak, dziękuję – odparł David, nie patrząc jej w oczy.

– Nie wyglądasz najlepiej – nie ustępowała. – Jeden Pan Bóg wie, co teraz masz za życie.

David przyjrzał się żonie, która również nie wyglądała kwitnąco. Nic nie powiedział, ale poczuł się winny jej bladości i grymasowi zgorzknienia, który niszczył kąciki ust. Ależ ze mnie kanalia, pomyślał, a i tak było to najmilsze stwierdzenie, jakie w tej chwili mógł sformułować na swój temat.

– Może wrócisz do domu? – poprosiła cichym głosem.

– Zostały twoje książki. Trochę ubrań i kilka par butów. A ja wciąż robię *caneloni* pod beszamelem, które tak lubiłeś. No cóż, do widzenia, dbaj o siebie.

Raz jeszcze przekonał się, że nie jest znawcą kobiecej duszy. Zdumiało go, że Gloria nie okazuje mu wrogości. Nigdy nie czuł się równie zagubiony i jeszcze nigdy nie miał o sobie tak marnego zdania, ale zostało mu dość siły, by pożegnać żonę z należytą elegancją. Upokarzało go też milczenie Any. Tymczasem następnego dnia posłaniec wręczył mu w bursie list bez adresu nadawcy: „Widziałam cię w gazecie. Co się stało? Mam nadzieję, że się dobrze czujesz. Byłeś cudownym kochankiem, jesteś dobrym, inteligentnym i ciekawym mężczyzną, ale brak ci odwagi. Życzę szczęścia. Całuję. Ana".

Telefonu wciąż nikt nie odbierał. Tego samego popołudnia David wrócił pod dom Any. Sprawiał wrażenie przygnębionego, a z jego oczu przebijał wewnętrzny niepokój. Zaczął mżyć deszcz. Ludzi, którzy przechodzili, dziwił widok smutnego starszego mężczyzny, otoczonego dziećmi, i które kopały piłkę na placyku. Jakiś żebrak na rogu grał na akordeonie żałosną pieśń, wkrótce deszcz wzmógł się i mali chłopcy z piłką poszli sobie, uwalniając przestrzeń od krzyków. Zostało ich dwóch: uliczny muzyk, który nie przerywając smutnej melodii, schronił się pod markizą pasmanterii, i David na drugim rogu placyku, moknący w deszczu, którego nie czuł. Tuż przed zmrokiem, zanim zapłonęły neony, dostrzegł wychodzącego z bramy Bogdana, w skórzanej kurtce z podniesionym kołnierzem i rękami w kieszeniach. David odwrócił się plecami, udając, że ogląda wystawę, i nie widział, czy pianista go zauważył, choć słyszał, jak przechodzi tuż obok, pogwizdując pod nosem.

Ana została pewnie sama w domu. David wciągnął głęboko powietrze, by dodać sobie odwagi. Pomyślał, że ten zimny deszczowy wieczór, z muzyką akordeonu w tle, jest ostatnim w jego życiu, i powziął mocne postanowienie, że już nie umrze, dopóki pozostanie żywy. Przypomniał sobie czasy młodości, kiedy kobiety sprawiały, że czuł się nieśmiertelny, czym dodał sobie odwagi i ruszył do walki.

Uzbrojony we własne wspomnienia, wspiął się do kryjówki wilka i mocno nacisnął dzwonek. Tym razem nie usłyszał kroków. Zaświeciło się kółeczko judasza, szczęknął zamek i pierwsze, co go zaskoczyło po otwarciu drzwi, to widok Any bez uszminkowanych ust. Natychmiast spostrzegł, że jest z tego niezadowolona. Stała bosa, w mocno spranych dżinsach i rozdartym na ramieniu podkoszulku. Sine cienie pod oczami, nieco spuchnięte powieki, świeża blizna na łuku brwiowym czyniły Anę zniewalająco piękną, co David dostrzegł, zdziwiony gwałtownością wizji.

– Lepiej nie wchodź – poprosiła Ana, przytrzymując drzwi stopą. – Właśnie wychodzę.

– Gdzie idziesz?

Ana bez słowa spuściła głowę i zrezygnowana odsunęła się, robiąc mu przejście. David wykorzystał chwilowe milczenie i przekroczył próg. Zatrzymał się, nie bardzo wiedząc, co dalej, patrzył na otaczający go bałagan. Na stole leżały talerze z resztkami jedzenia i puste butelki, jedno krzesło było przewrócone, na sofie leżał czarny stanik, porzucony w walce. Z fotografii odwróconego plecami mężczyzny na pustej ulicy Bukaresztu emanowała na cały pokój swoista aura. Co za otchłań się tu otwiera, pomyślał, ile miłości trzeba, żeby się zabić.

Zawsze, gdy niepewność go paraliżowała, tak jak teraz, David myślał, że wraz z nim nieruchomieje świat dookoła, tym razem jednak wyraźnie poczuł piętno wydarzeń, które rozgrywały się w zamkniętym mieszkaniu przez te dni, kiedy nie odważył się wykonać zdecydowanego kroku ani podjąć ryzyka większego niż wypowiedzenie kilku prostych słów.

– Co się z nami stało? – zapytał, spoglądając na Anę i bezradnie rozkładając ręce.

– Nie wiem – wyszeptała.

Pogładził ją po twarzy, przez parę sekund zatrzymując opuszki palców na świeżej bliźnie w kształcie półksiężyca nad lewą brwią.

– Mój Boże, Ano – dodał głosem, który zaskoczył jego samego.

Gdyby mógł stać się tym, kim chciałby się stać, mężczyzną o dzielnym sercu, zabrałby dziewczynę, choćby siłą, w takie miejsce, gdzie nie ma dzikich bestii, a tylko anioły, a tak jedynie nieśmiało ją objął i szeptał słowa pełne żalu i winy.

– Nie, Davidzie. Proszę, nie zaczynajmy od nowa – poprosiła, oswobadzając się z jego ramion.

– Pozwól mi sobie pomóc – nie ustępował, choć prosił chyba o pomoc dla samego siebie.

– Jest już za późno, nie wydaje ci się? A poza tym, żeby komuś pomóc, nie trzeba prosić o pozwolenie. Albo coś robisz, albo nie. Nie należy zbyt długo się zastanawiać i rozważać wszystkich za i przeciw.

– Nie bądź niesprawiedliwa, Ano. Wiesz, że mam niełatwą sytuację, że moja żona...

Ana nie pozwoliła mu dokończyć.

– Najlepsze, co możesz zrobić dla twojej żony – oznajmiła – to przestać traktować ją jak emocjonalną kalekę, przestać używać jej jako broni przeciwko tobie samemu, przestać winić ją za wszystkie twoje zmarnowane życia i zobaczyć w niej istotę ludzką, z którą można porozmawiać. Najgorsze, co można uczynić kobiecie, Davidzie, to pozbawić ją dumy. I dokładnie z wszystkimi tak postąpiłeś. Nie chcę być następna, tak jak dziewczyna, którą zostawiłeś w komórce, czy ta biedna aktorka, którą zamordowano, a ty nawet nie wysłałeś jej kwiatów, albo ta wiotka Niemka, która zostawiła dla ciebie wiadomość w sekretnej komnacie wielkiej piramidy. A może w *Księdze umarłych*?

Mogę być zrozpaczona, i jestem, mogę czuć się osaczona i bać się nawet własnego cienia, ale ani ty, ani Bogdan, ani nikt inny nie pozbawi mnie dumy. Rozumiesz? Odchodzę – zawołała, wskazując skórzaną torbę stojącą pod ścianą.

– Dokąd pójdziesz?

– Nie zamierzam ci powiedzieć.

– Ale może wypijemy pożegnalnego drinka? Chyba oboje na niego zasłużyliśmy – poprosił David.

– No dobrze. Ostatni raz.

Ana poszła do łazienki, a David czekał na nią na sofie. Podniósł leżący obok czarny stanik, przyłożył go do twarzy i głęboko wdychając ciepły zapach piersi, poczuł gulę w gardle a jego serce zaczęło walić z niezwykłą siłą. Wiolonczela, delikatnie przykurzona, stała oparta o ścianę pod oknem z widokiem na placyk, przez okno wchodziło fioletowe światło, rozjaśniając ciężkie od potu powietrze. Ana wyszła z łazienki, już w makijażu, a na jej pomalowanych czerwonych ustach zagościł smutny uśmiech.

– Chodź – poprosił David.

– Czego się napijesz?

– Nalej mi whisky i usiądź obok.

Bosa, w postrzępionych dżinsach, z przeciętym łukiem brwiowym, a mimo to wciąż olśniewająco piękna Ana podała mu kieliszek. Podeszła do wieży i naraz rozbrzmiały ciche dźwięki *Śmierci i dziewczyny* Schuberta. David wziął ją za rękę i zanurzył się w głąb samego siebie, rozpaczliwie szukając uczuć, myśli i pragnień koniecznych do zmiany swego losu, ale nie znalazł nic, co dałoby się głośno wypowiedzieć. Trwali w milczeniu. David zamyślił się. I milcząc, przemawiał do samego siebie, tak jakby Ana go słyszała.

– Chcesz udać się ze mną w podróż? Nic nie mów. Zabawimy się jak kiedyś. Ta sofa splamiona nasieniem

147

innej miłości to okręt, którym dryfujemy łagodnie w słońcu delikatnym jak twoje ciało, Ano. Nikt nas nie widzi. Nad żadnym z czterech błękitnych horyzontów nie pojawia się nawet mewa. Wszystkie moje doznania rodzą się i umierają na twojej skórze, Ano. Nic nie może równać się z rajem zmierzchów rozpuszczonych w złotawym pyle, gdy obierzemy kierunek Aleksandria, a nocą zabłyśnie firmament z gwiazdą o imieniu Ana Bron. Przez wszystkie dni naszej podróży, zawsze o świcie pocałujemy się na powitanie słońca, kil przecinać będzie purpurowe wody, a naszą muzyką stanie się bryza dzwoniąca na takielunku i szum fal rozbijających się o przednie burty. A kiedy dopłyniemy do Aleksandrii, będziemy dalej żeglować po ziemi. Nasza miłość stanie się wieczną wędrówką. Będziemy przechadzać się po nadbrzeżach rybackich portów, jeść kozi ser, potrawy doprawione liściem laurowym, oliwki z Salonik, a sok z granatów znów napełni twoje serce, Ano, i już na zawsze zastąpi krew. Potem, siedząc na placyku w cieniu akacji, dostrzeżemy upływ czasu na ludzkich twarzach. I kiedy zaproponuję ci samobójstwo, podążysz za mną. W Aleksandrii możemy jednak przedłużyć nasze życia, nieodkrytych zostało jeszcze wiele przyjemności, jak choćby tamta nieznana rzeka, do której źródeł dotarliśmy. Nie istnieje rzeka bardziej obfita w wodę niż twoje łono.

Milczeli w półmroku, nie potrafili zburzyć muru, za którym każde z nich się schroniło, jak pozbawione prawa głosu, wydawało się, że są skazani trwać tak wiecznie, chyba że któreś z nich szybko coś zrobi.

– Przynajmniej jesteśmy panami naszego milczenia – Ana próbowała przełamać napięcie.

David spojrzał na nią z powagą graniczącą z obłędem, ściskając w dłoni kieliszek, ze znieruchomiałymi źrenicami. Wtedy Ana nachyliła się, żeby go pocałować. Delikatnie rozchyliła mu wargi językiem, a on przywarł do jej ciała z determinacją tonącego. Nie musieli już szukać pomocy w słowach, ale zaczęli łapczywie chwytać powietrze, jakby między nimi nagle się ono zapaliło, jakby chcieli się nawzajem rozpuścić, dysząc, liżąc i gryząc się, spleceni w uścisku, drżąc i chwiejąc się. David odgarnął jej włosy z twarzy i położył na sofie, rozpinał spodnie, szukając wilgotnego łona. Wtedy Ana uniosła się, a na jej twarzy pojawił się grymas bólu i David zobaczył krwawiącą ranę w pachwinie.

– Na Boga, Ano, jak mogłaś dopuścić, żeby ci coś takiego zrobił? – krzyknął przerażony. – Chodźmy stąd, chodźmy razem, dokądkolwiek, teraz, proszę. Miłość nie musi być tak dziwna, Ano – powiedział, obejmując ją w ramionach – ani tak brudna. Nie wolno tak ryzykować. Wiesz chyba, czym to się skończy?

– Wiem, Davidzie, dlatego lepiej, żebyś sobie stąd poszedł. Bogdan może nadejść w każdej chwili. Proszę, odejdź – Ana wstała i zaczęła go wypychać.

– Nie zostawię cię tutaj. Jeszcze tyle przed nami – David nie ustępował w rozpaczliwej próbie przeciągnięcia jej na swą stronę. – Nie pojechaliśmy na wycieczkę do Hawany, nie pokazałem ci ruin Efezu, Pergamonu, Epidaurosa, gdzie na blankach rosną figi i granaty, nie widzieliśmy razem śniegu... Mam ci jeszcze wiele historii do opowiedzenia.

– Nie komplikuj wszystkiego. Są rzeczy, których nie zrozumiesz i których nie da się uniknąć. Odejdź więc teraz, póki masz czas – powiedziała Ana gwałtownym tonem.

– Ani myślę.

– Narażasz moje życie na niebezpieczeństwo, Davidzie. On nie może nas tu razem zobaczyć. Wpadnie w szał.

Obiecuję, że kiedy to się skończy, zadzwonię do ciebie. Ale teraz odejdź, proszę.

– Przysięgnij, że do mnie zadzwonisz.

– Przysięgam – Ana zgodziła się, bardziej naglona koniecznością niż z przekonania.

– Nigdy o tobie nie zapomnę. Aż do śmieci będę oglądał świat twoimi oczyma. Każdy pejzaż będzie twoim ciałem. Miłość do ciebie stanie się moją pamięcią – szeptał jej do ucha.

– Oby – odparła cicho ze smutkiem, który prawie zdławił jej głos, chociaż jej usta się uśmiechały.

W przedpokoju mocno się objęli. David przytrzymał ją przy piersi w milczeniu. Ana ostatni raz, już na schodach, pogłaskała go po włosach z czułością, na którą nie zdążył odpowiedzieć. David zszedł po ciemku. Zatrzymał się w bramie. Przez chwilę myślał, żeby wrócić do legowiska wilka i siłą porwać kochankę, ale kolejny raz postanowił zagłębić się w sobie. Placyk jaśniał blaskiem neonów odbijającym się w mokrym asfalcie. Deszcz wciąż zacinał. Żebrak z akordeonem zniknął. Ana podeszła do okna, by spojrzeć na Davida, który po raz ostatni odchodził z jej życia. Musiała dokonać nadludzkiego wysiłku, by nie pęknąć wewnątrz, kochając i nie kochając, będąc dwiema, jedną przeczącą drugiej, i teraz, kiedy pożegnała się na zawsze z częścią swej duszy, tą czulszą, tą bardziej potrzebującą, poczuła nagły skurcz. Dlaczego nie powiedziała mu tego, co chciała powiedzieć?

David szedł przez opustoszały placyk. Ana otworzyła okno i patrząc na plecy oddalającego się mężczyzny, dostała gęsiej skórki. Nagle w świetle latarni na mokrym asfalcie pojawił się kanciasty cień ogromnego dzikiego psa, który gwałtownie skoczył na Davida. W ułamku sekundy, nim strach przesłał impuls ostrzegający przed niebezpieczeństwem, w jej ciele obudził się zwierzęcy instynkt. Pod wpływem tajemniczej siły, porównywalnej z tą, którą czuła przy intensywnych orgazmach, zaczęła krzyczeć znad krawędzi śmierci, a jej skowyt przerwał nocną ciszę:

– Martín! Martín!! Nieee!!

Tym razem również nie wiedziała, dlaczego użyła tego imienia i w której części jej duszy się ono pojawiło, ale słysząc jej żałosny krzyk, David odwrócił głowę w stronę okna dokładnie w chwili, kiedy błysnęły przed nim oczy Bogdana, rozjaśnione blaskiem stalowego ostrza. Usłyszał również jego gniewny głos: „Nie jesteś wart tej kobiety". Sekundę później poczuł w swoim ciele dwa palące cięcia, jedno zanurzyło się w lewym boku, drugie rozorało mu gardło. David upadł na ziemię, a deszcz zmieszał się z jego krwią. Kiedy nadbiegła Ana, wciąż miał otwarte oczy.

– Żyjesz, Martín, żyjesz, kochany mój. Żyjemy oboje – słyszał, jak mówiła, szlochając nad jego ranami, choć jej głos dochodził z bardzo daleka.

To niejasne zdanie było ostatnim, jakie usłyszał David, zanim stracił przytomność. Potem zapadła cisza.

W każdym ciele bardzo głęboko kryje się zaginione miasto, które ma płynność trzewi i błyszczy fosforem kości. Jedną z ulic tego miasta biegł Martín. Puls przestawał być wyczuwalny, ale w duszy Davida tlił się ogienek oporu, który uchronił go przed całkowitym odejściem. Imię Martín rozbrzmiewało w głowie Davida, podtrzymując aktywność mózgu, kiedy zatrzymała się akcja serca.

... z nieba spadła gwiazda Any Bron, dziewczyny, wy-
rzeźbionej pocałunkami w pewną letnią noc, by osiąść
na szczęśliwym ciele innego mężczyzny...

Zmarli po śmierci słyszą tylko to, co pragną usłyszeć. Ana trzymała go za rękę, David nie słyszał sygnału karetki przebijającej się przez gwar na ulicy, ale za to dochodził go słodki głos Any, która nazywała go Martinem. Zmarły miał pod zamkniętymi oczyma bezkresną białą ścianę i widział jak płetwonogi anioł wypisywał na niej smołą czyjeś imię. Już bez wyczuwalnego tętna podłączono go do monitora, który przekazywał impulsy z serca. „Brak sygnału", stwierdził jeden z sanitariuszy w karetce.

Anioł ciągle pisał rozkaz, którego pochodzenia sam nie znał. Skreślił na ścianie wielkimi literami ze smoły imię Martín i w tej chwili David otworzył oczy. „Wraca tętno", zawołała Ana. Cios nożem, którym Bogdan ugodził go w szyję, przypominał ten zadany Silvii i był dziełem raczej zakochanego niż zawodowca. Nikt nie jest panem swojego losu ani nawet losu swojego sztyletu.

Martín odbijał się od dna śmierci albo dna czasu, gdy karetka dojechała na skrzyżowanie ulic o decydującym znaczeniu: jedna wiodła do kostnicy, a druga w stronę białej ściany. Ana szeptała mu do ucha i nazywała go Martinem, pragnąc wskrzesić w nim instynkt życia. Na białej ścianie anioł rysował trójkołowy rowerek, inny niż ten, który pojawił się w czarnym lustrze burdelu, gdzie

David został zraniony krwawym pocałunkiem, zakrzepłym w ciszy. Anioł kreślił inne życie za pomocą innych dziecięcych zabawek, innych przeczytanych książek, innych przeżytych miłości, innych odbytych podróży, innych otrzymanych ran, innych marzeń, innych upadków, a Martín odnajdywał się we wszystkich, zobaczył nawet innego gołębia, wylatującego z komórki, w której została inna płacząca Clara, i usiadł pod lipami w alei przy kasynie w Baden-Baden na innym wiklinowym fotelu obok innej Evy w spódnicy w kwiaty, aż na białej ścianie ukazała się ta sama, jedyna Ana, naga, idąca w stronę drzew fig i granatów, porastających szczyty ruin, gdzie czekał na nią Martín w nowym ciele, które nie było już częścią ruin. „Jeszcze żyje. Niech się pan pośpieszy!", Ana krzyczała do kierowcy karetki. W czasie drogi do szpitala oszołomiona kochanka spoglądała na dwie śmiertelne rany, w każdej dygotała inna dusza. Jedna była jeszcze duszą Davida. Druga należała już do Martina.

Na zewnątrz wciąż siąpiło i zapadła noc, kiedy karetka dojechała na ostry dyżur i choć ugodzony białą bronią zdawał się być jeden człowiek, było ich dwóch, pchniętych nożem w jednym krwawym chrzcie. Ana pochyliła się nad nimi, aby ich objąć, nie bacząc na rany, zanim nosze znikły w korytarzu za drzwiami o pokrytych gumą skrzydłach. „Proszę tu poczekać. Udzielamy informacji na bieżąco. Czy ranny ma jakieś dokumenty?", zapytał jeden z sanitariuszy. „Nie wiem", odparła Ana. I usiadła na ciężkiej ławce w poczekalni obok innych zrozpaczonych ludzi.

Parawany na bloku operacyjnym jaśniały blaskiem południowego słońca i oświetlały nagie męskie ciało na noszach, kimkolwiek był ów mężczyzna, białe światło wdzierało się w jego umysł, aż dotarło do głębi duszy, gdzie sprężystym krokiem szła Ana z wiolonczelą na ramieniu przez ogród pełen krzewinek rozmarynu i innych dzikich roślin obok czterech oleandrów zasadzonych ręką poety. Ana wołała go wiele razy krzykiem rozkoszy znad wysokiej przepaści, a on, posłuszny jej wezwaniom, ruszył ku niej z głębi czasu. Każdy orgazm tej jasnowłosej kobiety zmuszał go do zmiany kierunku. Martín krążył po różnych miastach, zajmował się wieloma rzeczami, przeżywał wiele miłości, miał wiele marzeń, ale zawsze kiedy czuł na karku krzyk Any, widział przed sobą skrzyżowanie dróg i to ona wybierała i przywoływała go do swego życia. Jej krzyki rozkoszy pociągały za sznurki gry, która jest zabawką bogów. Śnij o mnie, odpowiadał Martín na każde z tych wezwań z głębin swej krwi.

W tym samym czasie dyżurny chirurg badał drogi obrane przez stalowe ostrze i rzucał kości nad ranami. Transfuzja krwi, której poddano rannego, przypieczętowała tajemnicę, bo w ciało Martina wlewała się rzeka wszystkich kolejnych ciał kochanych przez Anę na przestrzeni jej życia.

W poczekalni znajdowało się wielu zrozpaczonych ludzi, w milczeniu przyjmujących swoje wyroki. Tej nocy przywieziono do szpitala co najmniej dwadzieścia osób pchniętych nożem w bójce, ale tylko jeden mężczyzna został zraniony w porywie namiętności. Ana uświadamiała sobie, jak bardzo kocha Davida. Najpiękniejsze chwile jej życia upłynęły na podróżach, które przygotowywał dla niej w wyobraźni. Niecałe dwie godziny temu marzyła, jak płynie z nim w stronę Aleksandrii, ale niosła w sobie burzę i oto rozbili się. Przyrzekła sobie, że to się nie powtórzy. Przysięgła sobie, że jeśli David przeżyje, podąży za nim wszędzie, gdzie tylko ją zabierze, a jej ciało będzie najwierniejszym okrętem, najmocniejszym, najpewniejszym. W tym momencie do poczekalni wszedł dyżurny lekarz i przerwał milczenie, pytając: „Jacyś krewni Martina?". Ana wstała. Lekarz poprosił, żeby z nim poszła. W ciszy panującej w windzie Ana spytała: „Skąd pan wie, że ma na imię Martín?". Lekarz odparł: „Takie imię podał ranny po odzyskaniu przytomności. To coś dziwnego?". Ana wyszeptała: „Nie, nie, wcale nie".

ksiązki dla muzykalnych

Dotychczas w serii:

Książkę wydrukowano na papierze
Amber Graphic 70 g/m²

www.arcticpaper.com

Warszawskie Wydawnictwo Literackie
MUZA SA
ul. Marszałkowska 8, 00-590 Warszawa

tel. (0-22) 827 77 21, 629 65 24
e-mail: info@muza.com.pl

Dział zamówień: (0-22) 628 63 60, 629 32 01
Księgarnia internetowa: www.muza.com.pl

Warszawa 2005
Wydanie I

Skład i łamanie: MAGRAF s.c., Bydgoszcz
Druk i oprawa: P.U.P. ARSPOL, Bydgoszcz